AROMATHÉRAPIE

D1532903

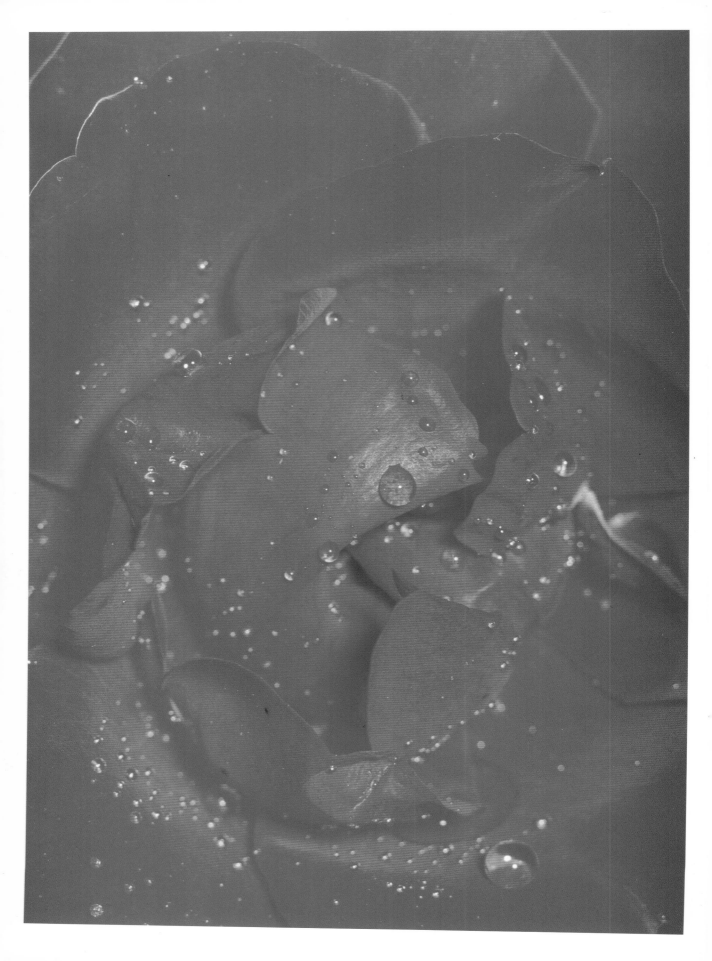

GUIDE ILLUSTRÉ DU BIEN-ÊTRE

AROMATHÉRAPIE

CLARE WALTERS

KÖNEMANN

© 1998 Element Books Limited
Shaftesbury, Dorset, SP7 9BP, UK

Texte © 1998 Clare Walters

Réalisé par The Bridgewater Book Company Limited

Titre original : *An illustrated Guide Aromatherapy*

Tous droits réservés.
Aucune partie de ce livre ne peut être reproduite ou utilisée sous quelque
forme ou avec quelque moyen électronique ou mécanique que ce soit,
y compris des systèmes de stockage d'information ou de recherche
documentaire, sans l'autorisation écrite de l'éditeur.
Les droits moraux de l'auteur ont été préservés.

NOTE DE L'ÉDITEUR
**Les informations contenues dans ce livre ne sauraient remplacer
un avis autorisé. Avant toute automédication,
consultez un praticien ou un thérapeute qualifié.**

© 1999 pour l'édition française
Könemann Verlagsgesellschaft mbH
Bonner Str. 126, D-50968 Cologne

Traduction : Dominique de saint-Ours
Révision : Sophie Léchauguette
Lecture : Marie-Laurence Sarret
Réalisation : **mot.** , Paris

Chef de fabrication : Detlev Schaper
Impression et reliure : Sing Cheong Printing Co. Ltd., Hong Kong
Imprimé en Chine

ISBN : 3-8290-1502-X
10 9 8 7 6 5 4 3 2 1

Crédits photographiques

A–Z Botanical Collection: 24b, 66g, 86g, 108g&b, 118g.
Bridgeman Art Library: 6 (Sotheby's, New York), 10hg
(Bradford Art Galleries and Museums), 11hd (Royal Albert
Memorial Museum, Exeter), 12h (British Museum,
Londres), 14c (Private Collection), 26b (Palazzo della
Ragione, Padua), 49h (Palazzo Ducale, Mantua), 73h
(Stapleton Collection), 75 (Museo Archeologico, Florence),
77h (British Museum), 85 (Museé des Arts Decoratifs,
Paris), 87hd (British Museum), 103h (Whitford & Hughes,
Londres), 105h (Royal Ontario Museum, Toronto), 107h
(V&A, London), 109 (Private Collection),
115d (Christies Images).
Corbis UK : 107b, 111b.
C. W. Daniel Company : 15hg.
e. t. archive : 10d, 11c, 12b&c, 13h, 14h, 21hg, 55c, 61bg,
63h, 91b, 97h, 99b, 111h.
Garden Picture Library : 20c (J. S. Sira); 48hg, 82g (Marijke
Heuff); 50hg, 60g (Brigitte Thomas); 54hg, 64g, 74g, 90g
(Emma Peios); 56g (Michel Viaro); 58h, 88g (Linda
Burgess); 62g (Neil Holmes); 68g (Philippe Bonduel); 70g
(Gary Rogers); 76g, 84g (Brian Carter); 78g (Lamontagne);
94g, 100g (Mayer/Le Scarff); 96g (John Glover); 98g (Jacqui
Hurst); 102g (Jerry Pavia); 106g (Michael Viard); 110g
(Didier Willery); 112g (Bob Challinor).
Harry Smith Horticultural Collection : 52g, 104g.
Houses & Interiors Photographic Agency : 80g, 116h.
Hutchison Library : 53d, 117h.
Image Bank : 59h.
NHPA : 92g, 117c.
Robert Harding Picture Library : 95h.
Science Photo Library : 11hg, 65bd, 68b, 79, 91bd, 139b.
Stock Market : 8, 20g, 29h, 29b, 32, 33, 53g, 65h, 68h, 71d,
72g, 81, 85h, 87hd, 91hd, 93, 97b, 101bd, 113, 119.

Remerciements :
William Chaplin, Bonnie Craig, Jessie Fuller, Ray Goldstein,
Nicky Hobby, Julia Holden, Simon Holden,
Helen Irvine, Kevin Irvine, Helen Jordan,
Chloe Knight, Pat Knight, Jane Manze,
Andrew Milne, Kay Macmullan, Jan Phillips,
Sam Sains, Amelia Whitelaw, Gabriel Whitelaw
pour leur concours photographique.

Remerciements particuliers à :
The Plinth Company, Stowmarket, Suffolk

Sommaire

Préface

L'AROMATHÉRAPIE EXISTE sous diverses formes depuis des millénaires, car notre odorat participe activement à notre perception du monde. J'ai voulu montrer à travers ce livre que les huiles essentielles sont pleines d'attrait, d'un emploi facile et recèlent de multiples bienfaits. Une fois initié à l'aromathérapie, vous allez pouvoir emplir votre maison d'arômes à la fois délicats et thérapeutiques. L'aromathérapie soulage notamment nombre de troubles liés au stress : les vertus curatives des huiles essentielles associées aux bienfaits d'un massage peuvent en effet s'avérer d'une grande efficacité.

CI-DESSUS
Ce brûleur d'encens était utilisé en Chine au XVIIIᵉ siècle.

J'attire l'attention de ceux qui utilisent les huiles essentielles pour la première fois : la fabrication d'une seule goutte d'huile de rose ou de jasmin exige des milliers de pétales. Les huiles essentielles contiennent donc une énergie végétale pure très concentrée et doivent être employées avec précaution. La puissance de leurs principes actifs exige qu'on les manipule avec beaucoup de soins. Aussi est-il important de lire et de respecter les avertissements et les contre-indications donnés dans ce livre.

Les aromathérapeutes trouveront de nombreux détails sur les 36 huiles présentées dans le chapitre Matière médicale *et suffisamment d'indications au fil des pages pour considérer cet ouvrage comme un livre de référence. J'espère que les huiles vous apporteront autant de plaisir qu'à moi. Chacune d'elles possède ses propres caractéristiques et idiosyncrasies ; en les utilisant régulièrement, vous finirez par les considérer comme des amies fidèles.*

CI-DESSOUS *Les huiles contiennent une énergie végétale pure et doivent être utilisées avec précaution.*

À GAUCHE *Jeunes et moins jeunes peuvent apprécier le parfum d'une belle fleur.*

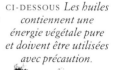

Comment utiliser ce livre ?

La première partie de ce livre contient une introduction à l'art et à l'histoire de l'aromathérapie, ainsi qu'une présentation des huiles essentielles expliquant leur préparation, leur composition chimique et la manière de les mélanger, de les conserver et de les utiliser. Elle se clôt par un chapitre entièrement consacré aux massages. La partie centrale, intitulée *Matière médicale*, constitue un véritable guide de référence. Les derniers chapitres concernent l'usage domestique des huiles et sont suivis d'un glossaire, d'une bibliographie, d'une liste d'adresses utiles et d'un index.

Un paragraphe d'introduction présente brièvement et clairement chaque nouveau sujet.

CI-DESSOUS **Outre l'histoire de l'aromathérapie, ses origines et son efficacité, la première partie de ce livre vous explique comment utiliser les huiles pour fabriquer vos propres lotions et crèmes.**

Des photographies illustrent étape par étape les techniques utilisées.

CI-DESSOUS **Le massage est une technique fondamentale de l'aromathérapie. Des séquences photographiques expliquent étape par étape les différentes techniques de massage pouvant être employées avec les huiles essentielles.**

CI-DESSOUS **L'aromathérapie est source de bienfaits pour toute la famille, surtout pour les femmes et les enfants. Ces bienfaits sont détaillés dans un chapitre particulier, après le guide de référence** *Matière médicale.*

Chaque fois que nécessaire, des conseils vous sont donnés sur la manière de vous perfectionner et d'éviter les problèmes.

Des photographies montrent très précisément comment obtenir les meilleurs résultats.

Des suggestions et conseils pratiques sont proposés tout au long de ce livre.

Des mélanges d'huiles sont recommandés pour certaines maladies et autres problèmes physiques.

Qu'est-ce que l'aromathérapie ?

CI-DESSUS *Les vertus curatives des plantes sont reconnues depuis des siècles par les herboristes.*

L'AROMATHÉRAPIE utilise des huiles thérapeutiques extraites de matières végétales naturelles pour favoriser la santé, l'équilibre et le bien-être. Les huiles essentielles employées en aromathérapie sont véritablement holistiques puisqu'elles exercent un effet puissant et positif sur la pensée, le corps et l'esprit. Pour bien les utiliser, il est nécessaire de prendre le temps de découvrir l'essence de la personne pour laquelle vous allez les choisir, qu'il s'agisse de vous-même ou de quelqu'un d'autre.

Les huiles essentielles sont extraites d'arbres, de buissons, de fleurs et d'arbustes originaires de toutes les régions du monde. Chaque huile a une composition chimique unique. Ces quarante dernières années, la recherche a rassemblé des plantes des cinq continents pour une activité qui tient à la fois de la science et de l'art. Les origines de l'aromathérapie semblent remonter aussi loin que celles de l'homme, bien que ce terme soit lui-même relativement nouveau. L'étude scientifique des huiles essen-tielles remplace et valide tout à la fois les gestes instinctifs et naturels des peuples autochtones et du folklore traditionnel. Nombre d'huiles origi-naires des confins de la planète sont reconnues depuis de nombreuses années pour leurs vertus curatives qui font aujourd'hui l'objet d'études scientifiques. Ces recherches se poursuivent et, dans bien des cas, les découvertes confirment l'intuition des cultures indigènes.

Les huiles essentielles ont une structure chimique complexe.

CI-DESSUS *L'utilisation des huiles essentielles profite à toute la famille et contribue à éliminer le stress de la vie quotidienne.*

CI-DESSOUS *Chaque huile renferme une composition chimique différente selon son origine végétale.*

À GAUCHE *Le jasmin est l'une des nombreuses espèces végétales utilisées dans le monde pour produire des huiles essentielles.*

Récemment, les principes chimiques actifs de nombre d'entre elles ont été extraits pour être exploités en médecine allopathique, mais ce sont les éléments traces qui confèrent à chaque huile ses qualités principales et ses vertus curatives uniques.

Aujourd'hui, les huiles essentielles servent principalement à soulager les divers symptômes chroniques du stress : insomnies, dyspepsie, céphalées, etc. Mais les vertus curatives de l'aromathérapie ne se limitent pas

À GAUCHE *Conservez soigneusement vos huiles essentielles et gardez-les hors de portée des enfants.*

à cet usage. Les huiles ont ceci de fabuleux qu'elles agissent sur tout l'être : ses symptômes physiques, ses attitudes, ses humeurs. Reportez-vous au chapitre *L'aromathérapie à la maison* (*voir* pages 120 à 131), où vous trouverez une liste d'affections dont souffrent souvent les adultes et les enfants, accompagnées des différentes huiles recommandées en traitement.

Conservez les flacons hors de portée des enfants et n'employez pas les huiles en usage interne, sauf prescription par un médecin qualifié Lorsque vous utilisez les huiles, veillez à les tenir éloignées des yeux et de la bouche. Lavez-vous soigneusement les mains après les avoir manipulées, surtout si vous les utilisez pures. Même si elles sont extraites de plantes comestibles, résistez à la

tentation de les ajouter à des aliments ou à des boissons. Les huiles essentielles sont infiniment plus concentrées que n'importe quelle préparation à usage alimentaire. Le chapitre *Matière médicale* insiste sur les précautions particulières à prendre et les circonstances dans lesquelles leur emploi est à proscrire.

Tant que vous êtes prudent, vous n'avez aucun souci à vous faire. Les huiles essentielles sont des énergies naturelles et si vous respectez leur pouvoir curatif concentré et leur énergie nourricière, elles vous donneront beaucoup de plaisir et mettront leur génie thérapeutique à votre disposition. Elles vous aideront à traiter de nombreux troubles et maladies et à surmonter les épreuves. Recourir aux huiles essentielles présente bien plus d'avantages que d'inconvénients.

AVERTISSEMENT
Consultez toujours votre médecin si vous avez un problème de santé quel qu'il soit.

PRENEZ LE TEMPS DE VIVRE

Que vous utilisiez les huiles chez vous ou que vous consultiez un thérapeute, prendre du temps pour vous-même sera extrêmement bénéfique. Vous pouvez choisir de vous offrir un massage relaxant et ainsi de profiter à la fois du toucher de la personne qui vous masse et des huiles sélectionnées à votre intention. Sinon, contentez-vous d'ajouter les huiles à votre bain, ou de les utiliser en vaporisations pour apaiser votre esprit et favoriser un sommeil réparateur.

CI-DESSOUS *Les vertus curatives des huiles essentielles peuvent faire des merveilles sur la peau.*

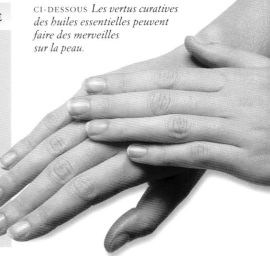

Les origines de l'aromathérapie

LES VERTUS CURATIVES *des plantes sont reconnues depuis des millénaires par de nombreuses cultures, et l'on peut considérer que l'aromathérapie est issue des différents systèmes de la médecine traditionnelle développée par les anciennes civilisations. Les peuples primitifs utilisaient les plantes pour leurs soins et pour leurs rituels religieux. Des archéologues ont ainsi découvert des traces de pollen de plantes médicinales en fouillant des tombes et des habitations.*

CI-DESSUS
Traditionnellement, l'encens est utilisé dans les églises ou les temples.

Les plantes offrent une alimentation naturelle et accessible. Nos ancêtres s'étaient sûrement aperçus que les racines, les baies ou les feuilles comestibles faisaient plus qu'apaiser la faim, ou que le jus de certaines plantes permettait aux blessures de cicatriser plus vite. Ils avaient aussi remarqué les effets des plantes sur les animaux qui s'en nourrissaient. Ces précieuses connaissances se transmettaient de génération en génération au sein d'une tribu.

Les peuples primitifs savaient que la fumée émanant de la combustion de diverses essences de bois produit des réactions variées : selon les cas, les individus deviennent somnolents, euphoriques, larmoyants ou vivent parfois une expérience spirituelle. Le procédé d'« enfumage du malade », qui consiste à envelopper le

À GAUCHE *La connaissance des plantes s'est développée au fil des siècles, au fur et à mesure que nos ancêtres remarquaient les propriétés des différentes baies, racines et feuilles.*

patient de fumées aromatiques, est une des formes de soin primitives. Dans certaines régions du monde, les fumées aromatiques sont toujours utilisées pour leurs vertus curatives et il n'y a pas si longtemps, on y avait encore recours dans les hôpitaux français. La recherche scientifique moderne a d'ailleurs vérifié les propriétés antiseptiques et bactéricides de la plupart des bois traditionnellement utilisés. Des fumées « spéciales » ou magiques sont aussi à l'origine de croyances religieuses anciennes, et l'encens est encore de nos jours un medium propice à la méditation.

L'idée d'une relation entre l'humanité et une divinité ou un esprit est l'une des formes les plus anciennes de la pensée humaine. Toutes les cultures indigènes partagent donc une croyance commune, selon laquelle l'évolution et la survie de l'humanité dépendent d'une relation saine entre le corps et l'esprit ainsi qu'entre les

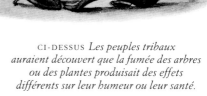

CI-DESSUS *Les peuples tribaux auraient découvert que la fumée des arbres ou des plantes produisait des effets différents sur leur humeur ou leur santé.*

dieux et les hommes. Quand un individu tombe malade, c'est le reflet d'une dissonnance entre cet individu, son environnement et le monde des esprits, encore que ce monde puisse être considéré comme une vision. Par conséquent, les premiers actes de soin s'efforçaient d'apaiser les divinités ou les esprits pour soigner les corps. Dans de nombreuses cultures, on pensait que les parfums plaisaient aux dieux et l'on accordait des pouvoirs magiques aux herbes médicinales.

CI-DESSUS
Ce manuscrit sanskrit enseigne aux médecins ayurvédiques l'usage des herbes médicinales.

INDE

La médecine indienne s'appuie sur les plantes. La plupart des textes religieux anciens contiennent des prescriptions et des formules, ainsi que des prières et des invocations adressées aux plantes elles-mêmes. Au IIIᵉ siècle avant J.-C., le roi bouddhiste Ashoka recensa et annota de nombreuses plantes médicinales encore utilisées aujourd'hui. Les plantes médicinales indiennes se sont imposées dans toute l'Asie et beaucoup d'entre elles sont parvenues à l'Ouest par le biais de traitements médicaux et de l'aromathérapie. La médecine ayurvédique traditionnelle connaît une popularité croissante en Occident, où de plus en plus de gens, déçus par les préparations allopathiques, se tournent vers des formes de soins tradition-nelles et holistiques.

CI-DESSOUS *Voici quelques-unes des plantes utilisées traditionnellement depuis des millénaires en Inde, en Chine et en Égypte.*

CHINE

La médecine traditionnelle chinoise est toujours pratiquée. Les médica-ments à base de plantes sont utilisés conjointement à l'acupuncture, implantation de fines aiguilles sur des points précis du corps pour libérer ses énergies. Beaucoup de plantes chinoises sont connues depuis des millénaires. Les premiers écrits médi-caux chinois sont réunis dans *Le Livre de médecine interne de l'Empereur Jaune*, composé au Iᵉʳ siècle de notre ère. *Le Pen Tsao kang-mou*, grand classique de la médecine chinoise, recense plus de 8 000 formules, la plupart à base de plantes, ce qui constitue la plus vaste pharmacopée jamais utilisée.

CI-DESSOUS *Les Chinois possèdent une tradition millénaire de soins par les plantes.*

ÉGYPTE

Les Égyptiens ont recours aux huiles essentielles depuis l'époque des pharaons. Des archives gravées sur des tablettes d'argile font état de bois de santal et de cyprès importé en Égypte : un commerce international d'huiles essentielles existait donc dans l'Antiquité. Dès 3 500 avant J.-C., dans les temples, les prêtresses brûlaient des gommes et des résines tel l'encens pour purifier les esprits et lors de la momi-fication. Le cèdre et la myrrhe servaient à l'embaumement. Des recherches biochimiques ont prouvé depuis que l'huile de cèdre contenait un fixateur puissant et que la myrrhe était une excellente huile antiseptique et anti-bactérienne. Les huiles avaient d'autres usages ; Cléopâtre aurait ainsi abusé du pouvoir de l'huile de rose pour aveugler Marc Antoine et le rendre sensible à ses charmes. Enfin les grands prêtres égyptiens ont trans-crit leurs connaissances des huiles sur des papyrus : leur savoir est le fonde-ment de l'aromathérapie moderne.

CI-DESSUS
Les Égyptiens utilisaient des huiles aromatiques telles que la myrrhe et le cèdre pour embaumer les corps.

Le fenugrec est une plante médicinale très utilisée en Inde.

Le nirgundi est utilisé par les médecins ayurvédiques dans leurs préparations.

La médecine chinoise connaît le gingembre depuis des siècles.

La myrrhe, utilisée par les anciens Égyptiens, est originaire du Nord-Est de l'Afrique.

CI-DESSUS *Des tablettes découvertes à Babylone révèlent les préparations utilisées par les médecins dans leurs remèdes et leurs traitements.*

BABYLONE

Les médecins babyloniens ont gravé leurs prescriptions sur des tablettes d'argile, mais contrairement aux Égyptiens, ils n'ont pas précisé leurs posologies. Ils ont cependant indiqué à quels moments du jour préparer les mélanges et les employer : généralement au lever du soleil.

CI-DESSUS *Les huiles essentielles servaient aux médecins dans le royaume de Babylone, situé entre le Tigre et l'Euphrate.*

À DROITE *Les travaux des médecins gréco-romains ont été traduits en arabe.*

GRÈCE

Les anciens Grecs devaient une grande partie de leurs connaissances des huiles essentielles aux Égyptiens, mais ils avaient aussi découvert que l'arôme de certaines fleurs pouvait être excitant ou apaisant. Ils utilisaient l'huile d'olive pour l'enfleurage. Le médecin grec Hippocrate (env. 460 -377 avant J.-C.), considéré comme le père de la médecine, évoque un grand nombre de plantes médicinales dans ses écrits.

CI-DESSUS *L'empereur Néron utilisait l'huile de rose pour soigner ses migraines.*

ROME

Beaucoup de médecins grecs furent employés par les Romains et, grâce à eux, l'usage des plantes médicinales s'est progressivement répandu dans tout le monde antique. Les Romains employaient les huiles essentielles tant pour le plaisir : parfumer le corps, les cheveux et les vêtements, que pour soulager la douleur. Ils utilisaient aussi les huiles en massages, surtout après le bain. L'empereur Néron préférait l'huile de rose, parce qu'elle soulageait ses migraines et ses indigestions. Les Romains avaient également recours à la camomille pour traiter les affections cutanées et accélérer la guérison des blessures. On sait aujourd'hui qu'elle contient de l'azulène, un anti-inflammatoire naturel.

Après la chute de Rome, emportant avec eux leur savoir, beaucoup de médecins s'enfuirent à Constantinople. Les travaux des plus grands d'entre eux, comme Galien et Hippocrate, furent traduits en arabe, ce qui permit leur diffusion dans cette partie du monde.

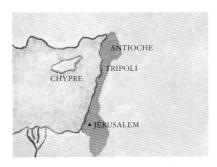

CI-DESSUS *Aux XIe et XIIe siècles,
l'usage des huiles végétales
gagna l'Europe depuis le Moyen-Orient.*

EUROPE

Suite à la chute de l'Empire romain,
l'Europe traversa une période de
troubles mal connue. Cependant,
la persécution à grande échelle des
« sorcières » pour leurs pouvoirs
« magiques » indique la présence
d'une forte tradition médicale populaire faisant un usage abondant des
plantes aromatiques.

Vers le XIIe siècle, le concept de
l'aromathérapie s'est définitivement
enraciné en Europe. Pendant les
croisades, les barbiers-chirurgiens
rencontrèrent les Arabes et découvrirent l'importance de l'hygiène et
l'utilisation des huiles. Au retour des
croisades, les chevaliers rapportèrent
en Europe herbes et huiles, ainsi
que la connaissance du processus
de distillation à la vapeur d'eau.
Des parfumeurs européens, telles
les célèbres maisons françaises de
Grasse, commencèrent alors à faire des
expériences avec les plantes locales.

Au XVe siècle, l'invention de
l'imprimerie favorisa la diffusion
rapide des connaissances ; recettes et
méthodes furent souvent rassemblées
et publiées dans des « herbiers ».
À cette époque, les fleurs étaient
fréquemment mélangées à des herbes,

CI-DESSUS *Les croisés découvrirent
les huiles essentielles
pendant leur séjour en Orient.*

À GAUCHE *Au XVIIe siècle,
des bouquets d'herbes étaient placés
dans la chambre d'un malade pour
le protéger de la peste.*

qui libéraient leurs huiles volatiles
quand on les piétinait. Des petits
bouquets d'herbes, ou « corps à
corps », étaient placés dans les lieux
publics pour prévenir les épidémies.
En 1665, année de la Grande Peste
à Londres, les gens brûlèrent
de la lavande, du cèdre et du cyprès
dans les rues. Ces pratiques ont
souvent été qualifiées de superstitions
par les historiens, mais l'on sait aujour-
d'hui que beaucoup de ces préparations possèdent des propriétés désinfectantes, bactéricides et antivirales.

L'aromathérapie à travers les âges

CE N'EST QU'EN *1928 qu'un pharmacien français introduisit le terme d'aromathérapie, mais l'on peut retracer son développement depuis les travaux d'Avicenne au Moyen-Orient jusqu'à nos jours. Le folklore et la pratique médicale ont finalement convergé pour nous proposer une science fondée sur les propriétés curatives des essences issues de plantes naturelles.*

CI-DESSUS *Avicenne a laissé de précieux écrits sur les vertus curatives des plantes.*

AVICENNE *980-1037*

Abu Ali ibn Sina, connu en Occident sous le nom d'Avicenne, fut le plus grand médecin arabe du Moyen Âge. Médecin-chef à l'hôpital de Bagdad et médecin personnel de plusieurs califes, il a décrit plus de 800 espèces de plantes médicinales, dont la lavande, la camomille et la rose, mais on ne peut les identifier toutes, car il a utilisé leurs noms vernaculaires.

Inventeur de la traction pour soulager les membres brisés, il a aussi utilisé les manipulations pour traiter les difformités ; il a également rédigé des instructions relatives aux massages, y compris des techniques pour les sportifs qui seraient encore valables aujourd'hui. Sa découverte de la distillation à la vapeur d'eau est une étape importante dans l'histoire de l'aromathérapie. On a retrouvé des dessins d'appareils de distillation, certes moins sophistiqués que ceux utilisés aujourd'hui, mais analogues dans leurs principes de base.

Également alchimiste, il a accordé beaucoup de signification aux roses rouges et blanches. C'est de son vivant que l'on s'est mis à produire de l'essence de rose en Perse.

CI-DESSUS *Cette gravure du XVIᵉ siècle montre la distillation des herbes.*

NICHOLAS CULPEPER *1616-1654*

L'astrologue et médecin Nicholas Culpeper s'est attiré les foudres du Collège royal de médecine en traduisant du latin en anglais la *Pharmacopoeia* – ce qui signifiait que

CI-DESSUS *L'*Herbier complet *de Culpeper a été publié pour la première fois en 1653.*

les informations qu'elle contenait n'étaient plus désormais l'apanage des médecins et autres latinistes. Culpeper souhaitait que son livre soit accessible à tous. L'ouvrage, généralement connu sous le nom d'« Herbier de Culpeper », fournissait des descriptions détaillées de plantes et de leur habitat. Il a fourni des informations précises sur la manière de préparer les plantes et suggéré l'emploi d'infusions pour oindre ou masser un malade.

RENÉ GATTEFOSSÉ
1881-1950

C'est en 1928 que le pharmacien français René Gattefossé inventa le terme d'*aromathérapie.*
Il entama ses recherches suite à un accident survenu dans le laboratoire d'une parfumerie. Gravement brûlé à la main, il plongea celle-ci dans le bol de liquide le plus proche, qui s'avéra contenir de l'huile de lavande pure. Elle guérit très rapidement et presque sans séquelles. Gattefossé comprit que les vertus curatives de l'huile de lavande étaient beaucoup plus grandes que celles des préparations auxquelles il travaillait. Il commença alors à s'intéresser aux vertus curatives d'autres huiles essentielles, en tenant autant compte de leurs propriétés chimiques que de leurs parfums.

CI-DESSOUS *Gattefossé a découvert les vertus curatives de la lavande ; une des rares huiles pouvant être appliquée pure, sans danger pour la peau.*

L'AROMATHÉRAPIE AUJOURD'HUI

En France, les aromathérapeutes sont exclusivement des médecins ou des esthéticiens. Mais dans le reste de l'Europe, aux États-Unis, en Australie et au Canada, l'aromathérapie s'est développée dans le cadre d'une recherche holistique qui considère le corps comme un tout et tente de le soigner à tous les niveaux. Ces aromathérapeutes choisissent des huiles qui agissent sur le mental, le physique et la psyché.
Les huiles essentielles se prêtent à une approche sensible et subtile, car chacune d'elles possède de nombreuses propriétés, à la différence des médicaments ou des parties isolées d'une plante utilisées en médecine allopathique. Les huiles essentielles ont souvent un effet équilibrant ; par exemple, elles aident le corps à surmonter le dysfonctionnement à l'origine de la maladie pour retrouver un équilibre idéal, synonyme de santé et de bien-être. Ce principe vaut à la fois sur le plan mental et émotionnel. Un aromathérapeute expérimenté est capable d'aider l'individu à accorder ses pensées, son corps et son esprit.

CI-DESSOUS *Le massage est une excellente thérapie dans le traitement holistique du corps.*

MARGUERITE MAURY
1895-1968

La biologiste française Marguerite Maury commença à s'intéresser à l'aromathérapie pendant la Seconde Guerre mondiale et l'associa à d'autres remèdes et produits de beauté à base de plantes. Elle développa en France une branche distincte de l'aromathérapie, employant les huiles en usage externe, plutôt qu'interne, et en les associant à des massages.

JEAN VALNET
Contemporain

Ce médecin français reprit les recherches de Gattefossé alors qu'il était chirurgien pendant la Seconde Guerre mondiale. À cette époque, les médicaments étaient rares et il découvrit que les huiles essentielles constituaient souvent un substitut efficace. Ses travaux, ceux de Gattefossé et de plusieurs autres chercheurs ont contribué à faire accepter l'aromathérapie et à l'intégrer à la tradition médicale française.

Comment agit l'aromathérapie ?

CI-DESSUS *Les huiles peuvent pénétrer dans l'organisme par la peau.*

LES HUILES ESSENTIELLES *pénètrent dans l'organisme de différentes manières. Elles sont soit absorbées par la peau avant de passer dans le système sanguin, soit inhalées avant d'arriver dans le sang grâce aux poumons. Elles peuvent aussi provoquer la transmission de signaux directement dans les lobes du cerveau par l'intermédiaire du système nerveux.*

Les molécules des parfums se dissolvent dans le mucus produit par le tissu externe tapissant l'intérieur du nez (épithélium olfactif). La surface de cette muqueuse, inférieure à 6 cm², est couverte de millions de récepteurs. Chaque cellule chimioréceptive comporte deux extensions : la première conduit à la surface de la peau à l'intérieur du nez ; la seconde se connecte aux fibres nerveuses à la base de l'épithélium. Par l'intermédiaire des fibres, les signaux traversent l'os ethmoïde et le palais pour atteindre la cavité crânienne. C'est là que les fibres nerveuses se rejoignent et forment les bulbes et voies olfactives qui transmettent les signaux directement aux lobes du cerveau.

Le système limbique a été l'une des premières parties du cerveau humain à se développer au cours de l'évolution. Il contrôle nos souvenirs, nos instincts et nos fonctions vitales. C'est la raison pour laquelle un arôme peut être aussi évocateur et significatif, qu'il s'agisse de l'odeur du pain frais, du café, des roses ou d'un désinfectant. Toute autre expérience sensorielle, même le toucher, doit parcourir un chemin beaucoup plus long à travers le système nerveux avant d'être enregistrée, et ce, dans une partie plus élaborée du cerveau. L'odorat est un instinct très primitif. Le système limbique enregistre l'existence de la molécule d'une huile donnée et en réponse, le cerveau libère des substances chimiques qui communiquent avec le système nerveux pour l'apaiser ou le stimuler. Elles peuvent aussi affecter l'organisme physiquement, ce qui explique l'efficacité des huiles dans le traitement de la douleur.

À DROITE *Les arômes entrent dans les lobes du cerveau via les fosses nasales.*

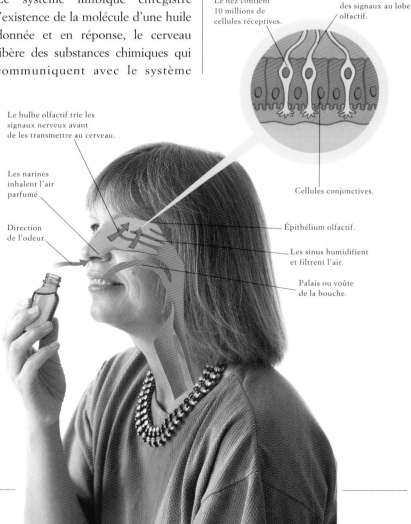

Le nez contient 10 millions de cellules réceptives.

Les nerfs envoient des signaux au lobe olfactif.

Le bulbe olfactif trie les signaux nerveux avant de les transmettre au cerveau.

Les narines inhalent l'air parfumé.

Direction de l'odeur.

Cellules conjonctives.

Épithélium olfactif.

Les sinus humidifient et filtrent l'air.

Palais ou voûte de la bouche.

Une très faible quantité de molécules d'huile essentielle peut, pendant l'inhalation, participer aux échanges gazeux entre les alvéoles pulmonaires (ou petits sacs d'air) et les capillaires. L'oxygène entrant remplace l'anhydride carbonique sortant et les molécules d'huile essentielle peuvent passer simultanément dans le système sanguin.

Si vous incorporez des huiles à une crème, à une lotion pour un massage, ou dans l'eau du bain, elles agiront localement sur l'épiderme (couche extérieure de la peau). Les molécules sont extrêmement petites et peuvent traverser l'épiderme pour atteindre le derme, qui donne sa souplesse à la peau. Comme le derme est bien alimenté par les capillaires, les molécules d'huiles passent du derme dans les capillaires puis dans l'ensemble du système sanguin. Contrairement aux médicaments, les huiles essentielles ne

restent pas dans l'organisme. Elles sont expulsées de nombreuses manières : par l'urine, les selles, la sueur et l'expiration. Dans un organisme sain, les huiles essentielles ne séjournent pas plus de trois à six heures, mais un organisme malade met environ quatorze heures à les éliminer. Selon la nature des huiles utilisées dans la préparation, le corps les rejette de différentes manières. Ainsi, les arômes des huiles de bois de santal et de genévrier passent dans l'urine, alors que l'huile de géranium est éliminée par la transpiration.

À DROITE *Les molécules des huiles pénètrent facilement le système sanguin par les couches cutanées.*

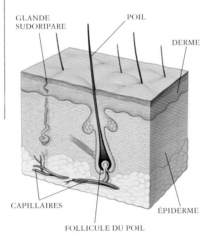

GLANDE SUDORIPARE — POIL — DERME — CAPILLAIRES — FOLLICULE DU POIL — ÉPIDERME

ÉCHANGES GAZEUX

O_2 CO_2

Les vénules véhiculent le sang oxygéné vers le cœur. Les artérioles charrient le sang appauvri vers les alvéoles. Réseau de capillaires.

Au fur et à mesure que les bronches se ramifient dans les poumons et deviennent plus petites, leurs parois s'affinent jusqu'à ce que les muscles et les tissus conjonctifs qui composent les parois cellulaires soient remplacés par une seule couche de cellules. Ces deux minces membranes permettent les échanges gazeux entre l'air contenu dans les alvéoles et le sang des capillaires.

LE SYSTÈME SANGUIN

Le système sanguin est le principal « moyen de transport » à l'intérieur de l'organisme. Celui-ci absorbe les huiles essentielles via la peau ou les muqueuses. Une fois dans le sang, les molécules des huiles sont véhiculées jusqu'aux zones où elles pourront agir le plus efficacement.

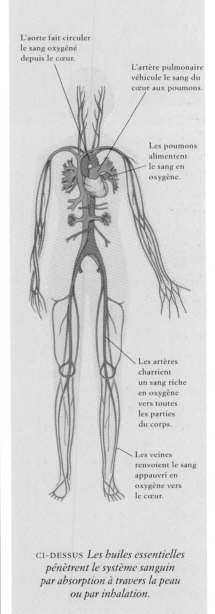

L'aorte fait circuler le sang oxygéné depuis le cœur. L'artère pulmonaire véhicule le sang du cœur aux poumons. Les poumons alimentent le sang en oxygène. Les artères charrient un sang riche en oxygène vers toutes les parties du corps. Les veines renvoient le sang appauvri en oxygène vers le cœur.

CI-DESSUS *Les huiles essentielles pénètrent le système sanguin par absorption à travers la peau ou par inhalation.*

Comment utiliser les huiles essentielles ?

L'UTILISATION DOMESTIQUE *des huiles essentielles est facile et sans danger, que vous vouliez simplement profiter de leur merveilleux arôme ou tirer parti de leurs propriétés cosmétiques et médicinales. Quelles que soient vos motivations, il existe de nombreuses manières de découvrir leurs vertus apaisantes et curatives. Essayez les différentes façons d'employer les huiles essentielles, jusqu'à ce que vous trouviez celle qui vous convient le mieux.*

CI-DESSUS *Pour un bain voluptueux et relaxant, ajoutez quelques gouttes de votre huile préférée.*

EN COMPRESSES

Pour des compresses chaudes, ajoutez quelques gouttes d'huile à un bol d'eau très chaude. Plongez un linge propre dans l'eau. Essorez et placez la compresse sur la région à soigner. Répétez l'opération aussi souvent que nécessaire. Pour des compresses froides, utilisez de l'eau froide ou de la glace.

EN ONGUENTS

Pour la préparation de vos propres crèmes, reportez-vous au chapitre *Les préparations domestiques* (*voir* pages 30-31). Autre solution : ajoutez vos propres huiles à des crèmes simples et inodores vendues dans le commerce.

DANS LE BAIN

Ajoutées à un bain chaud, les huiles sont en contact avec toute la surface de la peau, en même temps qu'elles pénètrent dans le système respiratoire par inhalation. 4 à 6 gouttes suffisent pour remplir la pièce d'une vapeur odorante. Si vous utilisez des huiles pures dans un bain, il est extrêmement important de disperser l'huile à la surface de l'eau, à l'aide par exemple d'une goutte de vodka, pour éviter tout risque de brûlure.

COMMENT FAIRE UN TEST ?

Si vous essayez une huile (essentielle ou non) pour la première fois, faites toujours un test local avant de l'appliquer sur la peau ; surtout si vous avez la peau sensible, souffrez d'allergies dermatologiques ou si vous la destinez à un enfant. Déposez 1 goutte d'huile sur un morceau de coton hydrophile et appliquez-le au pli du coude, à l'intérieur du poignet ou sous le bras. Maintenez-le en place et à l'abri de l'eau avec un sparadrap pendant vingt-quatre heures. S'il y a une réaction à l'huile sous forme de démangeaison ou de rougeur, cessez de l'utiliser.

CI-DESSOUS *Les huiles essentielles s'emploient de bien des manières.*

Vous pouvez aussi préparer vous-même une bouteille d'huile pour le bain avec 3 cuillères à soupe (45 ml) d'huile de support, 1 cuillère à café (5 ml) d'huile de germe de blé et 15 à 20 gouttes d'huile essentielle. Secouez bien avant utilisation, puis ajoutez environ 1 cuillère à café (5 ml) d'huile à chaque bain.

EN MASSAGE

Les molécules aromatiques de l'huile ont un effet thérapeutique car elles pénètrent en même temps dans l'organisme par les poumons et la peau. Le processus d'absorption cutanée se poursuit longtemps après la fin du massage.

EN INHALATIONS

Une inhalation permet de décongestionner et de désinfecter les poumons et les sinus. Ajoutez 2 ou 3 gouttes d'huile essentielle à un bol d'eau fumante. Placez votre visage au-dessus du bol, la tête sous une serviette, et respirez la vapeur pendant quelques minutes. Reposez-vous un moment puis recommencez. Arrêtez-vous si vous éprouvez la moindre gêne ; normalement votre tête devrait s'alléger très rapidement. Cette méthode agit directement sur les voies respiratoires et le système sanguin.

EN APPLICATION DIRECTE

Dans certains cas bien précis, l'application d'huile essentielle pure sur la zone affectée est sans danger. L'inhalation d'huile à même le flacon ou sur un mouchoir est généralement bénéfique, mais évitez d'inhaler un trop grand nombre d'huiles différentes (par exemple quand vous choisissez celle que vous allez acheter), car cela peut provoquer des maux de tête. Pour les cas particuliers, reportez-vous au chapitre *L'aromathérapie à la maison* (*voir* pages 126 à 131).

MÉTHODES DE VAPORISATION

On trouve dans le commerce une grande variété d'accessoires pour parfumer son intérieur. Ces vaporisateurs, séduisants et amusants, permettent de diffuser les huiles dans l'atmosphère et d'en faire bénéficier vos proches.

BRÛLEURS

Il existe nombre de jolis brûleurs sur le marché. Remplissez le récipient d'eau, ajoutez 1 ou 2 gouttes d'huile et allumez la bougie. Sur les brûleurs électriques, la bougie est remplacée par une résistance.

SOUCOUPES

Mettez 1 ou 2 gouttes d'huile dans une soucoupe ou un petit bol rempli d'eau très chaude.

PIERRES AROMATIQUES

La pierre aromatique se branche sur une prise électrique. L'huile est déposée directement sur la surface chauffée (pas besoin d'eau).

ANNEAUX POUR AMPOULES ÉLECTRIQUES

L'anneau rempli d'huile se place sur l'ampoule. La chaleur provoque l'évaporation de l'huile.

DIFFUSEURS POUR RADIATEURS

Le diffuseur s'accroche au radiateur. Comme précédemment, l'huile se diffuse en chauffant.

ANNEAU POUR
AMPOULE ÉLECTRIQUE

BRÛLEUR

DIFFUSEUR
POUR RADIATEUR

PIERRE
AROMATIQUE

CI-DESSUS *Choisissez la méthode que vous préférez pour parfumer votre maison.*

AVERTISSEMENT

Ne laissez jamais une bougie sans surveillance. • Assurez-vous que le brûleur ou la soucoupe sont placés sur une surface résistant à la chaleur. • Ne déposez jamais les huiles directement sur une ampoule.

AVERTISSEMENT

Les huiles essentielles ne doivent jamais être employées en usage interne, sauf prescrites et administrées par un spécialiste. • Si vous utilisez des huiles pures dans votre bain, dispersez-les à la surface de l'eau avec une goutte d'alcool pour éviter que l'huile vous brûle la peau.

La préparation des huiles essentielles

LA DISTILLATION À LA VAPEUR D'EAU est le seul procédé permettant d'obtenir une huile essentielle véritable. D'autres produits, fabriqués selon diverses méthodes, contiennent des substances différentes de celles des huiles essentielles pures. Ceux-ci obéissent aux normes des industries alimentaires et de la parfumerie et ne sont donc pas des huiles « essentielles » à cent pour cent. L'aromathérapie ne représente qu'une infime partie de la production d'arômes.

CI-DESSUS *Un verger d'agrumes destinés à la production d'huiles.*

Les huiles disponibles sont de qualité inégale et certains fabricants observent des critères plus strictes que d'autres. Les conditions et le lieu de récolte, ainsi que les engrais employés, sont autant de facteurs importants pour déterminer la qualité et la particularité d'une huile.

DISTILLATION À LA VAPEUR D'EAU

C'est la méthode la plus répandue. Lorsque les plantes sont chauffées pendant le processus de distillation, seules s'évaporent de très petites molécules qui donnent naissance à une véritable huile essentielle.

EXTRACTION AU DIOXYDE DE CARBONE

Le CO_2 fait exploser les molécules des plantes pour en recueillir l'huile. Les huiles ainsi obtenues sont pures et stables, mais l'appareillage nécessaire est cher et encombrant.

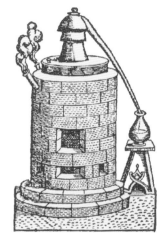

CI-DESSUS *Cette gravure du XVIᵉ siècle montre comment les plantes étaient distillées.*

CI-DESSOUS *La distillation à la vapeur d'eau est la meilleure méthode d'extraction d'huile essentielle pure.*

LES NOTES D'UNE HUILE

La qualité d'une huile et la vitesse à laquelle elle se diffuse sont comparables à la résonnance d'une corde. Les notes aiguës, ou de tête, ont les plus petites molécules et la plus grande volatilité ; les notes medium, ou de cœur, et enfin les notes graves, ou de fond, ont les molécules les plus lourdes et les moins volatiles.

DISTILLATION À LA VAPEUR D'EAU

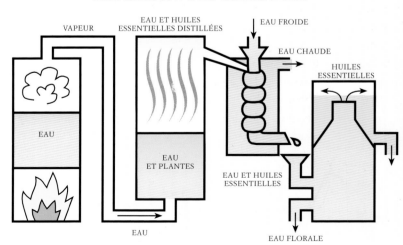

PRESSION

Cette méthode est réservée aux agrumes. L'huile est extraite de petites poches contenues dans l'écorce du fruit, laquelle peut être distillée à la vapeur après pression, mais l'huile ainsi obtenue est de qualité inférieure. Les huiles produites par pression sont plus vite périmées que celles obtenues par distillation. Notez que ces huiles risquent de se figer si elles sont conservées au froid ; la cire ainsi formée est saine et peut être filtrée.

EXTRACTION PAR SOLVANT

Résinoïdes, concrets et absolus sont des matières parfumées extrêmement concentrées, qui contiennent des molécules végétales capables de se dissoudre dans le solvant utilisé pour les extraire. Malheureusement, on ne peut jamais éliminer totalement le solvant de l'huile ainsi produite.

CI-DESSOUS L'huile de bois de santal est fabriquée par distillation à la vapeur d'eau, à partir des racines et du cœur du bois, séchés et pulvérisés.

LES HUILES INFÉRIEURES

Les huiles synthétiques sont inefficaces en termes thérapeutiques, non seulement parce qu'elles n'ont pas l'équilibre interne subtil des huiles essentielles qui les rend uniques et sans danger pour les êtres humains, mais aussi parce qu'elles ont perdu leur « force vitale ».

À GAUCHE Les huiles d'agrumes sont extraites par simple pression.

CI-DESSOUS L'huile est extraite du pin sylvestre par distillation à la vapeur d'eau de ses aiguilles, cônes et brindilles.

LES RÉSINOÏDES

Une résine est une substance issue de l'écorce d'un arbre blessé et solidifiée après exposition à l'air. On utilise différents solvants pour extraire les particules aromatiques de la résine. Les solvants sont ensuite éliminés pour créer des résines pures (si on utilise un alcool) ou des résinoïdes (si on utilise un solvant).

LES CONCRETS

La principale différence entre un résinoïde et un concret réside dans le fait que divers types de matières végétales (écorce, fleurs, feuilles, herbes et racines au lieu de la résine) sont utilisés et qu'un solvant est employé pour extraire la matière aromatique. C'est de cette manière que l'on produit l'huile de jasmin.

LES ABSOLUS

Un absolu est créé à partir d'un concret en ajoutant un alcool pour extraire les particules aromatiques de l'huile. Il reste souvent un peu d'alcool.

L'ENFLEURAGE

Les pommades étaient traditionnellement fabriquées en étalant des pétales ou des feuilles sur une couche de graisse animale jusqu'à absorption du parfum. Le procédé était ensuite répété jusqu'à ce que la graisse fût suffisamment odorante. Elle était alors traitée avec de l'alcool pour la séparer de l'huile végétale. La production de concrets a presque totalement remplacé cette technique.

Les composants chimiques des huiles essentielles

LA CHIMIE *des organismes vivants est appelée chimie organique, ou chimie des composés carbonés, puisque tout ce qui vit contient du carbone. En termes chimiques, carbone, nitrogène, hydrogène et oxygène sont les unités de la vie.*

CI-DESSUS *Tout organisme vivant contient du carbone.*

Chacun de ces éléments est composé d'atomes, que l'on croyait jadis être les plus petites particules de l'univers. Lorsque les atomes se rejoignent, ils forment des molécules. Une unité d'isoprène est une molécule composée de cinq atomes de carbone. Les huiles essentielles s'inscrivent surtout dans un cadre isoprénique, les différences entre elles résultant des types d'atomes qui les lient à ce cadre, et de la manière dont elles sont attachées. Les composants des huiles essentielles peuvent être séparés en groupes chimiques distincts, chacun ayant ses caractéristiques propres.

Dans la *Matière médicale* (*voir* pages 46 à 119), il est fait référence à quelques-uns des principaux composants ou constituants chimiques de chaque huile. Une connaissance, même succincte, des propriétés et de la composition des éléments d'une huile essentielle vous aidera à mieux comprendre son action.

LES TERPÈNES

Les terpènes, composés d'un nombre variable d'unités d'isoprène, incluent des monoterpènes, des sesquiterpènes et des diterpènes. Ils ont généralement des effets assez faibles mais leurs usages secondaires complètent les composants plus actifs de l'huile.

Les monoterpènes

Deux unités d'isoprène rassemblées forment un monoterpène. Ils sont antiseptiques, bactéricides, stimulants, expectorants et légèrement analgésiques, bien que leurs effets soient très faibles. Certains sont antiviraux et d'autres peuvent briser les calculs biliaires. Bien qu'utilisés en aromathérapie, ils risquent cependant d'irriter la peau.

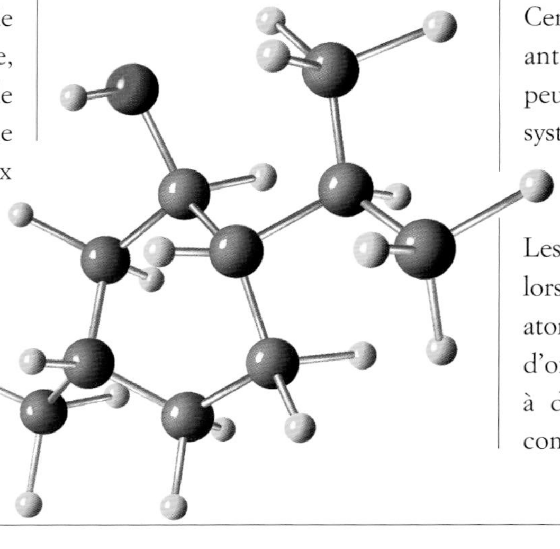

À DROITE *Le menthol, à l'arôme rafraîchissant, est dérivé d'un terpène.*

Les sesquiterpènes

Bon nombre d'huiles essentielles contiennent des sesquiterpènes, composés de trois unités d'isoprène. Ils peuvent être hypotenseurs, antiseptiques, bactéricides, calmants et anti-inflammatoires. Certains peuvent être analgésiques ou antispasmodiques. Les chercheurs s'y sont récemment beaucoup intéressés pour leurs propriétés bactéricides et anti-inflammatoires.

Les diterpènes

Les diterpènes, composés de quatre unités d'isoprène, résistent rarement au processus de distillation à la vapeur d'eau, car leur masse moléculaire est importante. Leur action est légèrement bactéricide, expectorante et purgative. Certains diterpènes ont des propriétés antifongiques et antivirales, et peuvent avoir un effet positif sur le système endocrinien.

LES ALCOOLS

Les membres de ce groupe se forment lorsque des unités composées d'un atome d'hydrogène et d'un atome d'oxygène (hydroxyles) se rattachent à des atomes de carbone (d'autres composants comprenant phénols, acides, aldéhydes, cétones et esters se forment de la même manière). L'éthyle, que l'on trouve dans la bière, le vin et les liqueurs, n'est qu'une variété d'alcool. Les alcools ont généralement des propriétés anti-septiques et antivirales, ainsi que des qualités dynamisantes. Ils ne sont généralement pas toxiques. On peut les regrouper en monoterpénols, sesquiterpénols et diterpénols.

Les monoterpénols

Quand une unité d'hydroxyle se rattache à un terpène, il en résulte un monoterpénol. Le menthol et le linalol entrant dans la composition des huiles essentielles sont de puissants bactéri-cides qui combattent les infections. Antiviraux, stimulants, réchauffants et fortifiants, ils n'irritent pas la peau. Les huiles essentielles riches en monoterpénols sont parmi les moins dangereuses pour les enfants et les personnes âgées.

Les sesquiterpénols

Une unité d'hydroxyle rattachée à un sesquiterpène crée un sesquiterpénol. Les huiles essentielles à haute teneur en sesquiterpénol purifient et tonifient efficacement le sang sans irriter la peau. Certaines présentent des affinités particulières avec le cœur ou le foie.

Les diterpénols

Ils se forment lorsqu'une unité d'hydroxyle se rattache à un diterpène. Ces molécules sont lourdes et peu volatiles ; seules quelques-unes résistent à la distillation. Elles ont une structure semblable à celle d'une hormone humaine et peuvent avoir un effet équilibrant sur le système endocrinien.

LES PHÉNOLS

Si une unité d'hydroxyle se rattache à un anneau d'atomes de carbone, le composé qui en résulte est un phénol. Dans les huiles essentielles, les phénols sont plus forts que les alcools. Antiseptiques puissants, ils sont sou-vent capables de stimuler les systèmes nerveux et immunitaire. Un usage abusif peut irriter la peau.

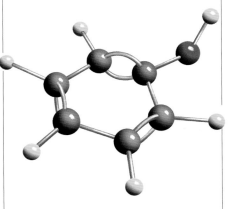

CI-DESSUS *Le phénol, connu sous le nom d'acide phénique, a été largement utilisé comme désinfectant pendant la Première Guerre mondiale.*

LES ALDÉHYDES

Formés par l'oxydation des alcools, les aldéhydes dégagent en général un arôme puissant. En aromathérapie, ils ont tendance à présenter des proprié-tés similaires à celles des phénols et des cétones et risquent d'irriter les peaux sensibles. Mais d'autres com-posants de l'huile ou une autre huile peuvent annuler cet effet. Le citral, le citronellal et le nérol sont des aldéhydes importants, présents dans des huiles citronnées telles que la mélisse, la citronnelle et le lemon-grass. Les aldéhydes sont anti-infectieux anti-inflammatoires, toniques, hypo-tenseurs, calmants et antipyrétiques (qui font tomber la température).

LES CÉTONES

Dans un cétone, un seul atome d'oxy-gène se lie à un atome de carbone pour former une unité qui se rattache ensuite à un composé hydrocarboné. Bien qu'absent des huiles essentielles, l'acétone (dissolvant du vernis à ongles) est un cétone. Seuls quelques cétones sont présents dans les huiles essentielles (aucune de celles men-tionnées dans ce livre n'en contient une quantité significative) et beaucoup d'entre eux sont des neurotoxiques. Utilisés avec modération, ils ont un effet calmant et sédatif. Ils peuvent faire fondre les graisses, fluidifier les sécrétions, favoriser la cicatrisation et aussi être digestifs, analgésiques, stimulants ou expectorants.

LES ACIDES ET LES ESTERS

Les acides organiques sont très différents des acides inorganiques. Acides et esters sont des combinaisons complexes de carbone, d'hydrogène et d'oxygène. Les esters ont un arôme fruité ; ils peuvent, comme les acides contenus dans les huiles essentielles, avoir des effets anti-inflammatoires ; fongicides, ils sont également efficaces pour les affections cutanées, et ont un effet équilibrant sur le système nerveux, calmant ou dynamisant, selon les cas.

LES LACTONES

Les molécules de lactone, trop grosses pour résister à la distillation, n'appa-raissent généralement que dans les huiles obtenues par pression ou les concrets. Les lactones sont utilisés comme antipyrétiques et pour soulager les catarrhes. Ils seraient responsables de la photosensibilité provoquée par les huiles fruitées.

Les huiles de support

LES HUILES ESSENTIELLES *sont diluées dans une huile de support neutre qui fait fonction d'excipient. On utilise ces mélanges pour les huiles de massage et à chaque fois que l'huile doit être appliquée directement sur la peau. De faibles quantités d'huiles essentielles sont nécessaires pour ce type de mélange.*

CI-DESSUS *Diluez les huiles dans une huile de support avant de les appliquer sur la peau.*

Seules les huiles végétales de bonne qualité peuvent être utilisées comme huiles de support. Les meilleures sont celles pressées à froid, car elles conservent leurs vitamines et minéraux. On peut ajouter au mélange une seconde huile, plus riche.

HUILE DE GERME DE BLÉ

• DESCRIPTION : riche en protéines et en vitamines B et E.

• EMPLOIS : *en massage, cette huile est souvent diluée à 10 % avec une autre huile de support pour nourrir et protéger la peau. Le plus souvent, elle* est employée pour conserver les préparations, également diluée à 10 %. *Grâce à sa haute teneur en vitamine E, elle agit comme un antioxydant et prolonge la durée de conservation de quelques semaines à six mois.*

HUILE DE GERME DE BLÉ

CI-DESSUS *Ajoutez un peu d'huile de germe de blé à votre mélange d'huiles essentielles pour le conserver.*

AVERTISSEMENT
N'utilisez pas d'huile de germe de blé si vous êtes allergique au blé.

HUILE D'AVOCAT

• DESCRIPTION : riche en vitamines A, B et D – indiquées pour les problèmes de peau. C'est une huile visqueuse, à l'odeur caractéristique et de couleur vert-brun, raisons pour lesquelles on l'utilise surtout dans des dilutions à 5 ou 10 % avec une huile de support.

À GAUCHE *Riche en vitamines, l'huile d'avocat est idéale pour les peaux à problèmes.*

• EMPLOIS : *en dilution pour les problèmes de peau. Elle est également* indiquée pour les personnes allergiques au blé (voir *ci-dessus*).

HUILE DE JOJOBA

• DESCRIPTION : ce n'est pas une huile au sens strict du mot, mais plutôt la cire tirée du fruit d'une plante du désert, la *Simmondsia chinensis*. Elle s'emploie surtout dans des dilutions à 10 % avec une huile de support.

• EMPLOIS : *efficace pour les eczémas secs, c'est une bonne base pour une huile capillaire. Particulièrement indiquée pour les croûtes de lait et autres affections des peaux sèches.*

À GAUCHE *Le jojoba pousse à l'état sauvage dans les déserts d'Amérique du Nord.*

HUILE DE JOJOBA

HUILE ET GRAINES
DE SOJA

HUILE DE SOJA

• DESCRIPTION : très nourrissante et rapidement absorbée, l'huile de soja est idéale pour les personnes allergiques au blé (*voir* huile de germe de blé).

• EMPLOIS : *cette huile est appréciée (surtout en France) pour sa capacité à faire baisser les taux de cholestérol. Une huile de soja de grande qualité peut aussi être efficace en massage pour les personnes ayant de l'acné.*

L'huile de soja est économique et se prête à de multiples utilisations. Veillez à choisir une huile très pure, surtout si vous avez une peau sensible.

HUILE
DE NOYAUX
D'ABRICOT

CI-DESSUS *Les huiles de pêche et d'abricot ont de nombreuses applications et conviennent à tous les types de peau.*

HUILE DE NOYAUX DE PÊCHE/ABRICOT

• DESCRIPTION : très légères, pénétrantes et pratiquement inodores.

• EMPLOIS : *ces huiles peuvent être utilisées sur tous les types de peau et sont extrêmement nourrissantes.*

VITAMINES, MINÉRAUX ET ACIDES GRAS

Bénéfiques pour la peau, les minéraux, vitamines et acides gras essentiels présents dans les huiles de support pressées à froid n'atteignent cependant pas toujours les systèmes internes du corps. Les molécules des huiles végétales, généralement plus grandes que celles des huiles essentielles sont souvent incapables de traverser le derme.

Les huiles de support sont de qualité très variable, d'autant plus qu'il est rare d'en trouver de culture biologique. Le recours aux pesticides et engrais dans la production industrielle des huiles réduit considérablement leur teneur en minéraux. Pressées à froid, elles conservent une quantité significative d'éléments nutritifs. Ce procédé nécessite une température de 60° C maximum, tandis que les huiles qui ne sont pas pressées à froid sont soumises à des températures de plus de 200° C et à une extraction par solvant.

Essayez d'utiliser des huiles adaptées à votre type de peau. L'huile d'amandes douces contient des vitamines A, B1, B2, B6 et une petite quantité de vitamine E. Elle a aussi un pourcentage élevé d'acides mono- et polyinsaturés. L'huile de carotte est riche en bêta-carotène, en vitamines B, C, D et E et en acides gras essentiels. Utilisée régulièrement, c'est un régénérateur dermatologique efficace et il est conseillé d'en ajouter un peu aux crèmes que vous utilisez tous les jours. Une huile de tournesol de bonne qualité, riche en acides gras non saturés, contient des vitamines A, B, D et E. Elle peut soulager contusions et maladies de peau.

HUILE DE PÉPINS DE RAISIN

• DESCRIPTION : une huile très pure et riche en acides polyinsaturés. Elle est aussi très légère et pénétrante.

• EMPLOIS : *en raison de ses qualités légèrement astringentes, cette huile convient aux peaux jeunes. Elle est bienfaisante pour ceux qui souffrent d'acné.*

HUILE D'AMANDES DOUCES

• DESCRIPTION : bon adoucissant et lubrifiant de la peau.

• EMPLOIS : *cette huile, généralement bien tolérée par les peaux sensibles, est aussi excellente pour les peaux sèches ou ridées. L'huile essentielle d'amandes amères n'est pas utilisée en aromathérapie.*

AVERTISSEMENT

Sauf en cas d'urgence – piqûre de guêpe, coupure profonde, éruption de boutons, brûlure domestique ou résorption d'une contusion – les huiles essentielles ne doivent jamais être appliquées pures sur la peau.

HUILE
D'AMANDES
DOUCES

CI-DESSUS *L'huile d'amandes est indiquée pour les peaux sensibles, sèches ou ridées.*

Les mélanges

SE FIER À SON ODORAT *est un excellent moyen de créer une gamme étendue de nouvelles huiles. Les huiles agréablement parfumées s'allient aux huiles thérapeutiques en de séduisantes associations. Vous trouverez pour chacune d'entre elles des suggestions d'emplois au chapitre* Matière médicale. *Essayez-les ou suivez votre intuition.*

À GAUCHE *Fiez-vous toujours à votre odorat en choisissant des huiles essentielles pour un usage domestique : vous ne risquerez guère de vous tromper.*

Des scientifiques ont prouvé que lorsque certaines huiles pénètrent dans le sang, elles se dirigent vers les organes ou les parties du corps avec lesquelles elles ont des affinités. Herboristes et guérisseurs le savaient bien avant la confirmation scientifique. Faites vous-même un essai : choisissez un flacon d'huile, inhalez profondément son arôme et demandez-vous dans quelle partie du corps l'huile va se propager, ou ce qu'elle pourra faire. Quand ensuite vous vous informerez sur les huiles, vous découvrirez probablement que votre démarche était scientifiquement exacte. Fiez-vous à votre intuition lorsque vous créez vos mélanges.

Il est important de n'utiliser que de très faibles quantités d'huiles essentielles par rapport à l'huile de support, surtout si vous voulez employer le mélange pour un massage ou l'appliquer sur la peau. S'il y a trop d'huile essentielle, ou si vous, ou la personne que vous massez, n'aimez pas son odeur, essuyez-la et recommencez. Vous aurez peut-être l'impression que c'est du gaspillage, mais il est très important de respecter le pouvoir des huiles et votre réaction instinctive à leur égard. Inutile de risquer une irritation ou d'autres problèmes pour faire des économies. Les proportions à respecter pour mélanger les huiles essentielles entre elles, ou avec une huile de support pour une application sur la peau, sont données page 27.

CI-DESSOUS *Autrefois, les herboristes savaient quelles plantes choisir pour soigner tel ou tel organe.*

CONSEIL

Suivez toujours votre instinct et n'utilisez pas un mélange que vous, ou votre partenaire, jugez désagréable.

HUILE DE MASSAGE

Ajoutez 6 gouttes d'huile essentielle à 3 ou 4 cuillères à café (15 à 20 ml) d'huile de support. Pour un adulte, un massage complet du corps nécessite environ 4 cuillères à café (20 ml) d'huile. Vous en aurez assez pour que vos mains glissent doucement sur la peau sans que l'huile ne dégouline sur votre partenaire. Si vous commencez avec la bonne quantité d'huile essentielle mais avec trop peu d'huile de support, rajoutez-en.

Les huiles de massage peuvent être mélangées dans une proportion de 3-2-1 pour l'utilisation d'huiles à notes aiguë, medium et grave, ou de 2-2-2 pour un mélange d'huiles à notes medium. Il vous faut rarement plus d'une goutte d'huile à note grave pour un massage complet du corps, ce qui tombe bien, car ce sont souvent les plus chères !

CI-DESSOUS *Mélangez votre huile essentielle avec l'huile de support avant de commencer votre massage.*

PERSONNE DÉTENDUE

CORPS RECOUVERT D'UNE SERVIETTE

MASSAGE DOUX DE LA MAIN

CI-DESSOUS *Mélangez 6 gouttes d'huile essentielle à 4 cuillères à café d'huile de support afin d'obtenir la quantité suffisante pour un massage complet du corps.*

HUILE DE BAIN

Les proportions pour l'huile de bain peuvent être les mêmes que celles des huiles de massage. Mieux vaut n'utiliser qu'une ou deux huiles. Un mélange est souvent plus actif que la somme de ses composants (effet de synergie). Avec trois huiles, on obtient généralement un mélange bien équilibré, à la fois très parfumé et puissant.

AVERTISSEMENT

Dispersez les huiles essentielles à la surface de votre bain pour éviter les risques de brûlures.

CI-DESSOUS *Utilisez jusqu'à trois huiles différentes pour créer un mélange aromatique et puissant pour le bain.*

HUILE DE CÈDRE DE L'ATLAS

HUILE DE LEMON-GRASS

HUILE DE BERGAMOTE

Acheter et conserver les huiles

CI-DESSUS *Conservez vos huiles essentielles dans des flacons parfaitement hermétiques.*

LES HUILES VARIENT *considérablement en prix et en qualité ; tout dépend de facteurs à la fois écologiques et économiques. Il est donc important de les choisir et de les conserver avec soin. Les huiles essentielles concentrent l'énergie vitale des plantes naturelles et doivent par conséquent être manipulées avec respect.*

OÙ ACHETER LES HUILES ?

On peut acheter des huiles essentielles dans une boutique spécialisée, chez un herboriste, par correspondance, chez son pharmacien ou dans un magasin de diététique. La vente par correspondance est souvent pratique et la plupart des sociétés répondent rapidement. Si vous voulez connaître un fournisseur local, interrogez un aromathérapeute de votre région. Contactez une école de formation en aromathérapie pour savoir quelles huiles elle recommande. Peut-être même vend-elle les siennes.

CI-DESSOUS *Les plantes utilisées pour fabriquer des huiles essentielles viennent du monde entier.*

N'Y PERDEZ PAS VOTRE LATIN

La connaissance des noms latins est utile, car elle vous permet de savoir exactement quelles huiles vous achetez. C'est particulièrement vrai si vous les achetez auprès d'une petite société commercialisant des huiles relativement bon marché et que vous vous interrogez sur la qualité de ses produits.

ÉTATS-UNIS

RUSSIE

·PHILIPPINES

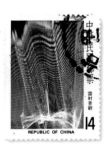

CHINE

BRÉSIL

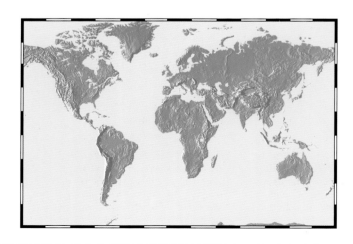

MALAISIE

LE PRIX DES HUILES

Le prix des huiles varie assez peu, mais le jasmin, la rose, le néroli et surtout la mélisse sont généralement les plus chers. Souvent, le prix des huiles dépend de l'offre, qui est fonction de la politique des pays producteurs ou de l'abondance de la récolte annuelle.

Des variations de prix peuvent bien sûr refléter la qualité de l'huile. Par exemple, une huile de jasmin très bon marché vendue comme une huile essentielle risque d'être totalement altérée ou synthétique. Souvent aussi, les plus chères sont mélangées à de l'huile d'amandes douces et donc impures malgré les apparences.

Plus l'huile que vous achetez est de bonne qualité, plus grands sont ses pouvoirs thérapeutiques. Un flacon contenant 5 ml d'une des nombreuses huiles présentées dans ce livre n'est pas forcément cher, même si l'huile est de bonne qualité. De toute façon, il vous en faut si peu qu'un flacon durera probablement assez longtemps pour être amorti, même si l'huile qu'il contient est onéreuse.

AVERTISSEMENT

Ne laissez jamais un flacon d'huile essentielle sur une surface peinte ou cirée, car les composés chimiques de l'huile pourraient l'endommager.

LA CONSERVATION

Dans des conditions idéales, les huiles essentielles peuvent se conserver six ans ou plus, la durée moyenne de conservation étant d'environ deux ans. Les huiles d'agrumes ne durent pas aussi longtemps ; il est possible de les garder au réfrigérateur, mais elles risquent de devenir troubles.

Les huiles essentielles s'altèrent à la lumière et bien que les flacons bleus paraissent plus jolis, ils sont moins opaques que ceux dont la couleur se situe à l'extrémité rouge du spectre, et doivent être entreposés dans un endroit frais et sombre. Mieux vaut donc conserver vos huiles essentielles dans un flacon soigneusement bouché de couleur brune ou ambrée.

CI-DESSUS *Conservez vos huiles à l'abri de la lumière directe du soleil pour préserver leurs qualités.*

Rappelez-vous aussi que les huiles essentielles sont volatiles par nature ; non seulement elles s'évaporent, mais la disparition des molécules plus légères modifie la composition de l'huile. Pour éviter cela, choisissez des flacons d'huile pourvus d'un bouchon se vissant.

Lorsque les huiles essentielles sont mélangées à des lotions, crèmes ou huiles de massage prêtes à l'emploi, le mélange ne durera pas plus longtemps que les huiles de support (six mois environ). Même si les huiles de support deviennent rances, les huiles essentielles ne perdent rien de leur efficacité. De l'huile de germe de blé ajoutée à un mélange fait maison permettra de le conserver (*voir* page 24).

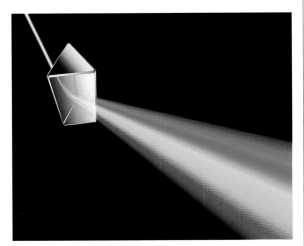

À GAUCHE *Les huiles se conserveront mieux dans des verres sombres que dans ce joli flacon.*

CI-DESSUS *Choisissez des verres aux coloris proches de l'extrémité rouge du spectre afin d'éviter une détérioration rapide des huiles.*

AVERTISSEMENT

Absolus et résinoïdes ont une durée de vie plus courte que les huiles distillées car, avec le temps, ils épaississent et l'odeur du solvant devient plus perceptible.

Les préparations domestiques

Avec une cuisinière et des ustensiles rudimentaires, vous pouvez fabriquer quantité de crèmes, lotions, parfums d'ambiance et après-rasage contenant vos huiles préférées pour vous-même, votre famille et vos amis. En un après-midi, vous aurez plaisir à préparer un produit de beauté personnalisé. Choisissez bien vos huiles et vous créerez une préparation cosmétique et thérapeutique originale. Remuez, mélangez et appréciez !

TALC

LOTION

APRÈS-RASAGE

SELS DE BAIN

CRÈME
POUR
LA PEAU

Toutes les huiles essentielles peuvent être ajoutées à une crème ou à une lotion non parfumée adaptée à votre peau. 10 gouttes choisies parmi une à trois huiles essentielles suffisent pour un flacon de 250 ml. Voici quelques recettes de produits de toilette faciles à réaliser :

LOTIONS

Recette de base
*1 cuillère à café (5 ml) de vodka
5 gouttes au total d'une ou deux
huiles essentielles
100 ml d'eau déminéralisée ou filtrée*

Versez la vodka et les huiles essentielles dans un shaker et agitez vigoureusement. Ajoutez l'eau et secouez à nouveau.

APRÈS-RASAGE

Suivez la recette de base en doublant la quantité de vodka (10 ml). Le mélange, plus astringent, deviendra un après-rasage efficace.

AÉROSOLS

Pour un aérosol rafraîchissant, doublez la quantité d'huiles essentielles de la recette de base. Veillez à ne pas utiliser ce mélange sur la peau car il peut provoquer des irritations.

TALC

Un talc inodore peut être transformé en poudre exotique et voluptueuse. Des pétales de fleurs, comme la rose ou le jasmin, apporteront une touche séduisante.

Mettez le talc inodore dans un pot, ajoutez 1 ou 2 gouttes de chaque huile (trois au maximum) de votre choix et agitez bien. Utilisez 6 à 10 gouttes d'huile pour un petit pot de talc.

SELS DE BAIN

Prenez une bonne quantité de sels de bain inodores et ajoutez 2 ou 3 gouttes de chacune des huiles que vous avez choisies (pas plus de trois). Vous pouvez aussi ajouter au mélange des pétales de rose ou de camomille. Détendez-vous et appréciez !

À DROITE Fabriquez vous-même une grande variété de produits de toilette avec très peu d'efforts et à moindre coût.

ÉPONGE

SAVON

SHAMPOOING

SAVON

LOTION
CORPORELLE

CRÈME POUR LA PEAU

Ingrédients

225 ml d'huile de support
225 ml d'eau filtrée
1 bâton de cire d'abeille
¼ de cuillère à café de borax

1 Mettez la cire dans un saladier en Pyrex et ajoutez la moitié de l'huile de support. Placez le bol au-dessus d'une casserole d'eau bouillante.

2 Diluez complètement le borax dans 1 cuillère à soupe d'eau bouillante et ajoutez-le au mélange précédent. Versez le reste d'huile.

3 Ajoutez l'eau filtrée au mélange et tournez jusqu'à incorporation complète de l'eau. Laissez refroidir, puis mettez votre crème en pot.

SAVON PARFUMÉ

Ingrédients

225 ml d'huile de support
225 ml d'eau filtrée
225 à 450 ml de paillettes
de savon végétal pur et inodore
3 huiles essentielles

1 Mettez tous les ingrédients dans un bol en Pyrex au-dessus d'une casserole d'eau bouillante et faites fondre les paillettes de savon.

2 Mettez le bol hors du feu et mélangez les ingrédients avec un fouet.

3 Laissez refroidir, puis ajoutez 5 gouttes de chacune des trois huiles essentielles. Versez le mélange dans des moules et laissez refroidir.

L'aromathérapie au service de la vie moderne

BEAUCOUP DE GENS *se tournent vers l'aromathérapie simplement pour soulager leur stress. Nous plaçons notre corps en « alerte rouge » alors qu'il n'y a pas de réel danger et nous épuisons progressivement les ressources de notre organisme à seule fin de nous maintenir dans cet état. L'aromathérapie est l'antidote parfait contre les tensions et les contraintes de la vie*

Les manifestations physiques du stress sont multiples. Il est à l'origine de nombreuses affections amenant à la consultation d'un médecin ou d'un thérapeute. Ainsi, céphalées ou migraines chroniques, insomnie, mal de dos, maux de tête et d'estomac sont souvent des symptômes physiques du stress. L'usage domestique des huiles essentielles s'avère très efficace pour le combattre : se détendre dans un bain aromatique chaud ou s'endormir en respirant un arôme agréable et relaxant ne peut être que bénéfique. Si vous pensez avoir un mode de vie stressant, pourquoi ne pas consacrer un peu de votre temps à un traitement aromathérapique ?

À DROITE
Les huiles essentielles sont un remède efficace et naturel aux tensions et contrariétés du quotidien.

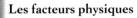

LES CAUSES DU STRESS

Les huiles aromatiques peuvent nous aider à faire face aux défis psychologiques et émotionnels liés au rythme de la vie moderne. Il est important d'identifier les causes du stress, qui peut être à l'origine de nombreux troubles : de l'insomnie aux maladies cardiaques.

Les facteurs physiques
• Le manque d'exercice entraîne une mauvaise circulation, des raideurs musculaires, une faible résistance et énergie.
• Une tension excessive peut être à l'origine d'insomnies dont les effets se font ressentir pendant la journée.
• Des repas pris trop rapidement ainsi qu'une mauvaise alimentation peuvent entraîner des problèmes digestifs et un manque de vitalité.

À DROITE *Entourez-vous d'arômes apaisants et découvrez un sentiment de paix et de détente.*

Les facteurs environnementaux

• La voiture et les transports en commun sont des sources de stress. Rappelez-vous que tous les contretemps quotidiens que vous tentez d'ignorer risquent de réapparaître sous forme de stress et de maladies.

• La qualité de l'air que nous respirons et de l'eau que nous buvons est de première importance. En tenez-vous compte, ou bien n'avez-vous pas conscience de leurs effets ?

Les facteurs émotionnels

• Il arrive parfois que les relations personnelles soient à l'origine d'un stress important : contrariétés domestiques, divorce ou départ des enfants devenus grands.

• Un deuil est souvent une épreuve synonyme d'un immense chagrin et de stress.

Les facteurs psychologiques

• Les soucis d'argent conduisent parfois au surmenage, lequel peut mener à l'épuisement physique et à la maladie.

• La précarité, l'insatisfaction professionnelle ou la recherche d'un emploi comptent parmi les principales causes de stress.

LES FAUSSES SOLUTIONS

Afin de surmonter les problèmes de stress, beaucoup de gens se tournent vers l'alcool, les médicaments, la drogue, le tabac ou la suralimentation. Malheureusement :

• Le tabac est responsable de maladies respiratoires et cardiaques.

• Une consommation excessive d'alcool provoque hypertension, cirrhose, surcharge pondérale et des problèmes émotionnels ou relationnels.

• L'usage abusif de médicaments ou de drogues peut entraîner une sérieuse dépendance et des déséquilibres chimiques dans l'organisme.

• La suralimentation peut provoquer un excès de poids, une perte de confiance en soi, l'apathie et des problèmes cardiaques.

À GAUCHE *Combattre le stress avec des huiles essentielles : une alternative sûre et saine au tabac, à l'alcool et à la suralimentation.*

L'AROMATHÉRAPIE : UNE ALTERNATIVE

L'aromathérapie propose une alternative saine et efficace à toutes les fausses solutions énumérées ci-dessus. Les huiles essentielles vous aideront à retrouver votre bonne humeur et à avoir les idées claires ; elles apaiseront douleurs et tensions et favoriseront le sommeil. Un bain aux huiles vous relaxera ; en vaporisations, elles vous mettront dans de bonnes dispositions et vous aideront à trouver le sommeil. Cependant, pour vaincre le stress, rien ne remplace le bien-être que procure un massage aux huiles essentielles, qu'il soit pratiqué par un thérapeute ou un proche. Reportez-vous au chapitre *L'art du massage* (*voir* pages 34 à 45).

USAGE DOMESTIQUE

L'utilisation des huiles essentielles chez soi ne présente aucun risque ; vous en tirerez profit en suivant les conseils donnés dans ce livre. Évitez un usage interne des huiles et ne les appliquez pas directement sur la peau, sauf en cas d'urgence. Reportez-vous aux pages concernant les premiers secours dans le chapitre *L'aromathérapie à la maison* (*voir* pages 128-129). Essayez, mélangez et faites-vous plaisir !

L'art du massage

CI-DESSUS
*Les bienfaits
d'un massage
gagnent tout le corps.*

L'ASSOCIATION *de l'aromathérapie et du massage permet un traitement
complet qui agit simultanément sur le corps et l'esprit. Un massage
holistique répond aux besoins de la personne le recevant, qu'ils soient
explicites ou implicites. Avec quelques connaissances et un peu d'expérience,
vous apprendrez à diluer les huiles essentielles dans une huile de support
pour pratiquer un massage qui soit à la fois bénéfique pour la santé,
relaxant et agréable.*

Chacun peut passer maître en l'art du massage et profiter soi-même de ses bienfaits. Il améliore la circulation, facilite la digestion et la respiration. Par son action sur le système lymphatique, il accélère l'élimination des toxines, favorisant ainsi le fonctionnement du système immunitaire. La combinaison de ces bienfaits physiques, ajoutée au sentiment réconfortant de recevoir des soins, éloigne soucis et tensions, pour faire place à une aura de détente, de paix et de bien-être gagnant tout le corps. Il suffit d'apprendre les gestes de base, tout le reste n'est que variantes.

CI-DESSOUS *S'il est pratiqué dans
une pièce confortable et une
ambiance apaisante, le massage
sera encore plus bénéfique.*

UN CADRE APPROPRIÉ

Si vous pratiquez un massage à la maison, il est important de créer un environnement agréable, à la fois pour vous-même et la personne que vous massez.

Choisissez d'abord une pièce tranquille et chaude : votre partenaire va se refroidir rapidement une fois dévêtu, alors que vous aurez probablement chaud en le massant. Mettez un peu d'huile essentielle dans un diffuseur pour parfumer l'atmosphère, même si vous allez en utiliser aussi sur la peau pendant le massage.

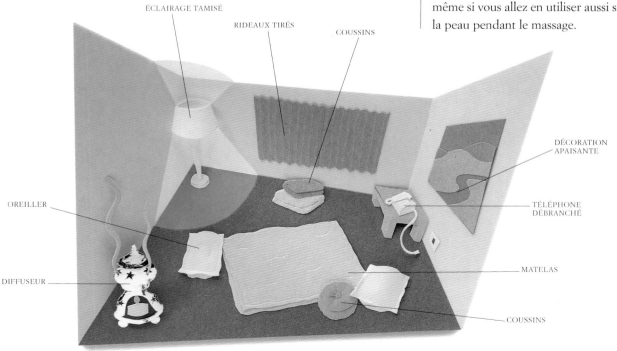

ÉCLAIRAGE TAMISÉ

RIDEAUX TIRÉS

COUSSINS

DÉCORATION
APAISANTE

OREILLER

TÉLÉPHONE
DÉBRANCHÉ

DIFFUSEUR

MATELAS

COUSSINS

Baissez le volume de votre répondeur et, si possible, coupez la sonnerie du téléphone. Demandez à votre entourage de ne pas vous déranger.

Certaines personnes aiment les massages en musique, tandis que d'autres préfèrent le silence. Choisissez ce qui vous convient le mieux. Un éclairage tamisé contribue à créer l'ambiance. Même les yeux fermés, des lumières violentes braquées sur le visage sont à éviter.

En vous installant par terre, vous aurez suffisamment de place. Recouvrez le sol de couvertures ou d'édredons. Prévoyez un support à placer sous vos genoux et beaucoup d'oreillers et de serviettes pour le confort de votre partenaire. Placez un coussin sous ses genoux lorsqu'il est couché sur le dos : il se détendra plus facilement. S'il est couché sur le ventre, installez des coussins sous sa poitrine et ses chevilles afin que son dos soit complètement au repos.

Si vous souffrez du dos ou des genoux, il vous sera plus facile de

CI-DESSUS *Si vous avez l'intention de pratiquer fréquemment des massages, envisagez l'achat d'une table spéciale.*

masser quelqu'un allongé sur une table. Certaines tables de cuisine ou de salle à manger sont assez grandes et solides mais il faut bien recouvrir leur surface. Si vous ne possédez pas le meuble idéal, envisagez l'achat d'une table de massage pliante. Évitez les lits : rarement à la bonne hauteur, ils sont trop mous et toutes les pressions exercées sont absorbées par le matelas.

Il est important de garder votre dos bien droit. Utilisez le poids de votre corps pour trouver votre rythme et votre équilibre. Si vous travaillez sur une table, gardez les pieds

bien écartés, pliez les genoux et appuyez-vous sur vos mains. Si vous pratiquez le massage au sol, agenouillez-vous les genoux écartés ou posez un pied au sol, le genou plié. Changez fréquemment de position.

LES VÊTEMENTS APPROPRIÉS

Lorsque vous pratiquez un massage, portez des vêtements amples et lavables (vous risquez de les tacher d'huile) et des chaussures confortables, ou restez pieds nus. Ôtez bijoux et montre qui risqueraient d'égratigner la peau de votre partenaire et de vous distraire. Vérifiez que vos ongles sont courts et propres et que vos mains ne présentent aucune plaie.

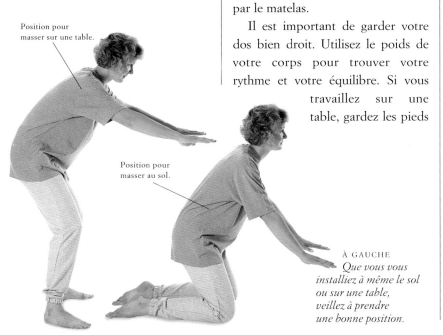

Position pour masser sur une table.

Position pour masser au sol.

À GAUCHE *Que vous vous installiez à même le sol ou sur une table, veillez à prendre une bonne position.*

Effleurage

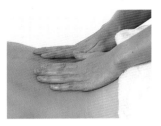

CE MOUVEMENT EST *celui que vous utiliserez le plus, car c'est un geste de base qui favorise la relaxation. Afin que la personne s'habitue à sentir vos mains sur sa peau, vous pouvez pratiquer quelques effleurages de chaque côté du corps avant d'enduire vos mains d'huile.*

CONSEIL

Il est préférable d'exercer une pression plus importante en remontant vers le cœur et plus légère lorsque vous redescendez le long du corps. Mettez assez d'huile sur vos mains pour qu'elles glissent facilement sur la peau.

LE DOS

Un bon massage du dos est l'un des plaisirs de la vie. Extrêmement relaxant, il soulage considérablement le stress et la tension ou les muscles douloureux.

ÉTAPE N° 1

Commencez par poser vos mains à plat sur le bas du dos de votre partenaire.

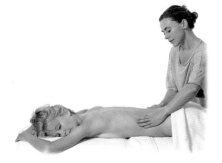

ESTOMAC ET ABDOMEN

L'effleurage est également extrêmement efficace lorsqu'il est effectué dans le sens des aiguilles d'une montre sur l'estomac et l'abdomen : une main décrit un cercle complet et reste constamment en contact avec la peau, tandis que l'autre décrit un demi-cercle. Vos mains se croisent lorsque le cercle est achevé.

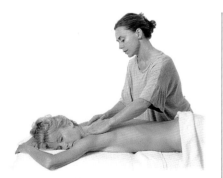

ÉTAPE N° 2

Faites glisser doucement vos mains du milieu du dos aux épaules, de chaque côté de la colonne vertébrale. Puis déployez vos mains et descendez en décrivant un mouvement tournant.

ÉTAPE N° 3

Attention à ne pas tirer sur la peau en faisant glisser légèrement vos mains le long du corps vers la position de départ. Répétez ce mouvement plusieurs fois.

LES JAMBES

Des caresses douces sur les jambes stimulent la circulation sanguine et le système lymphatique.

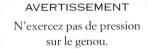

AVERTISSEMENT

N'exercez pas de pression sur le genou.

ÉTAPE N° 1

Pour un effleurage de la jambe, partez du pied avec les deux mains, les doigts orientés vers l'intérieur. Glissez-les doucement en remontant le long de la jambe, en appuyant de chaque côté de l'os.

ÉTAPE N° 2

Faites remonter vos mains vers le haut de la cuisse. Puis ouvrez vos mains et faites-les redescendre lentement de chaque côté de la jambe.

ÉTAPE N° 3

Une fois vos mains revenues à leur position initiale, répétez plusieurs fois ce mouvement caressant.

LES BRAS

Un massage des bras permet de réduire la tension et de générer un sentiment de profonde relaxation.

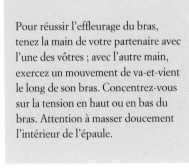

Pour réussir l'effleurage du bras, tenez la main de votre partenaire avec l'une des vôtres ; avec l'autre main, exercez un mouvement de va-et-vient le long de son bras. Concentrez-vous sur la tension en haut ou en bas du bras. Attention à masser doucement l'intérieur de l'épaule.

Pétrissage

CE MOUVEMENT *est bénéfique pour le sommet des épaules et les côtés de la partie centrale du dos, ainsi que pour la chair des cuisses et des mollets. Il permet de détendre les muscles profonds, améliore la circulation sanguine et favorise l'élimination des toxines.*

ÉTAPE N° 1

Posez vos mains à plat sur la peau, épaules tournées vers l'extérieur et doigts orientés vers l'intérieur.

TORSION

Cette technique ajoute une torsion au malaxage de base pour obtenir un mouvement plus profond et plus stimulant. Placez vos mains côte à côte sur la partie du corps que vous êtes en train de masser. Puis saisissez la chair avec vos deux mains et commencez à travailler dans des directions opposées, comme si vous essoriez du linge.

AVERTISSEMENT

Sur des zones moins charnues telles que le haut des bras, malaxez plus légèrement, du bout des doigts.

ÉTAPE N° 2

D'une main, saisissez doucement mais fermement une poignée de chair et poussez-la vers votre autre main.

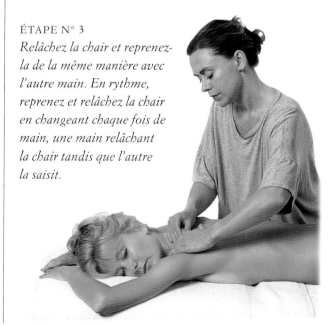

ÉTAPE N° 3

Relâchez la chair et reprenez-la de la même manière avec l'autre main. En rythme, reprenez et relâchez la chair en changeant chaque fois de main, une main relâchant la chair tandis que l'autre la saisit.

Pressions des pouces

LES PRESSIONS DIRECTES *et profondes des pouces ou les cercles sont très efficaces, en particulier sur les muscles longs situés de part et d'autre de la colonne vertébrale, autour des épaules et sur une ligne médiane à l'arrière de la jambe. Ces mouvements soulagent la tension et sont très relaxants.*

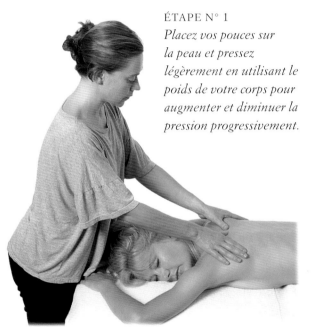

ÉTAPE N° 1
Placez vos pouces sur la peau et pressez légèrement en utilisant le poids de votre corps pour augmenter et diminuer la pression progressivement.

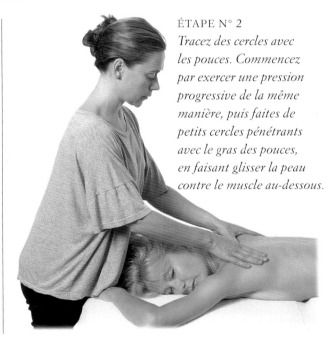

ÉTAPE N° 2
Tracez des cercles avec les pouces. Commencez par exercer une pression progressive de la même manière, puis faites de petits cercles pénétrants avec le gras des pouces, en faisant glisser la peau contre le muscle au-dessous.

ZONES SENSIBLES

En travaillant, vous découvrirez probablement des tensions sur des zones qui vous sembleront ankylosées, raides, sensibles ou noueuses. Ces « nœuds » sont des muscles fatigués ou des toxines que le corps n'a pas encore pu évacuer.

Exercez une pression directement sur les zones tendues ou travaillez autour. N'appuyez pas trop fort ou trop brusquement, si vous ne voulez pas faire souffrir votre partenaire ou accentuer la tension.

ZONES CHATOUILLEUSES

Les chatouillements sont souvent provoqués par la tension nerveuse. Essayez des pressions légèrement plus fortes ou travaillez sur les zones environnantes et revenez plus tard aux endroits sensibles, lorsqu'ils seront détendus.

AVERTISSEMENT
Évitez de masser directement la colonne vertébrale ou l'arrière des genoux.

Commencer le massage

APRÈS AVOIR CHOISI *les huiles essentielles et aménagé la pièce, et lorsque vous vous sentez prêt à commencer, demandez à la personne que vous allez masser de se dévêtir, de préférence intégralement si elle n'en ressent aucune gêne. Mélangez les huiles dans un bol, plus pratique qu'un flacon, pour en prendre assez d'une main tout en maintenant de l'autre le contact physique avec votre partenaire.*

Avant de commencer, secouez vos mains, tordez-les et frottez-les pour les réchauffer si nécessaire. Lorsque votre patient est prêt, entièrement couvert de serviettes, posez vos mains sur son dos ou sur la plante de ses pieds et respirez profondément. Réfléchissez un moment à la manière dont vous souhaitez que le soin se déroule, à ce que vous voulez faire ressentir à votre partenaire et aux effets que vous aimeriez obtenir. Puis découvrez la partie du corps sur laquelle vous allez travailler en premier et huilez vos mains. Vous saurez bientôt apprécier la quantité exacte d'huile dont vous avez besoin ; en attendant, assurez-vous d'en avoir toujours suffisamment pour que vos mains glissent bien. Mieux vaut trop que pas assez : vous pourrez toujours enlever l'excédent avec une serviette ; c'est d'ailleurs ce qu'il faut faire à chaque fois que vous terminez une partie du corps. Prenez contact petit à petit, et en douceur, avec la peau de votre partenaire. Si au départ le massage est trop vigoureux, vous risquez de surprendre votre partenaire. Employez la méthode de l'effleurage pour huiler tout le corps, puis alternez effleurage, malaxage et pétrissage pour en masser chaque partie. Avec de l'expérience, vous découvrirez le plaisir de l'apprentissage de gestes nouveaux. Un massage ferme et appuyé sera revigorant et stimulant, tandis qu'un massage lent et doux sera très relaxant. Faites-vous masser afin de ressentir les sensations que procurent les différents gestes. Si vous pratiquez souvent des massages, vos mains seront bientôt vigoureuses ; sinon, entraînez-vous en pressant une balle de caoutchouc souple ou en manipulant des balles chinoises.

CI-DESSUS *Veillez au confort de votre partenaire ; il doit être au chaud et recouvert de serviettes.*

CI-DESSOUS *Avant chaque massage, demandez à votre partenaire s'il a des souhaits particuliers.*

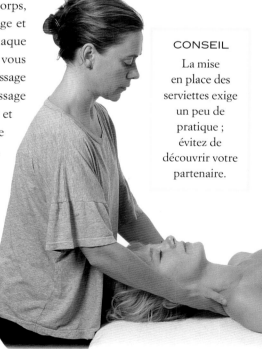

CONSEIL

La mise en place des serviettes exige un peu de pratique ; évitez de découvrir votre partenaire.

Les étapes d'un massage

IL N'Y A PAS *d'ordre précis pour faire un massage. Toutefois, pour un soin complet du corps, nombre de thérapeutes préfèrent commencer par le dos. C'est une zone facile et vaste pour un premier contact et beaucoup de gens concentrent leur tension entre les épaules ou à la base de la colonne vertébrale. Avant de commencer votre massage, assurez-vous que votre partenaire n'a pas froid et qu'il est confortablement installé.*

SÉQUENCE

Le meilleur ordre est le suivant : dos (1), arrière des jambes (2), changer de côté ; avant des jambes (3), bras (4), estomac (5) et torse, cou (6), cuir chevelu (7) et enfin, le visage (8).

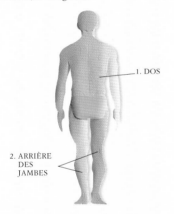

1. DOS

2. ARRIÈRE DES JAMBES

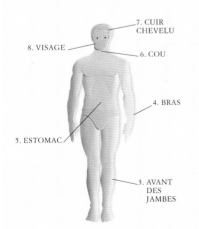

7. CUIR CHEVELU

8. VISAGE

6. COU

4. BRAS

5. ESTOMAC

3. AVANT DES JAMBES

ÉTAPE N° 1
Un effleurage doux et apaisant sur toute la surface du dos est souvent le meilleur moyen pour débuter un massage. Votre partenaire commencera presque aussitôt à se détendre et à apprécier le massage.

EFFLEUREZ TOUTE LA SURFACE DU DOS

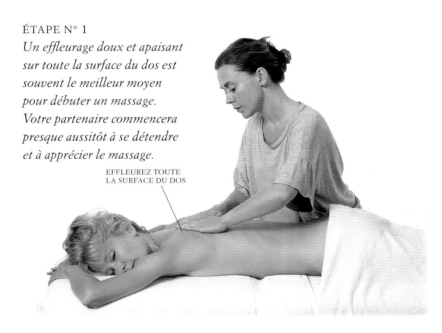

ÉTAPE N° 2
Découvrez une jambe à la fois ou les deux si vous êtes sûr que la personne n'aura pas froid.

MALAXEZ LES MOLLETS

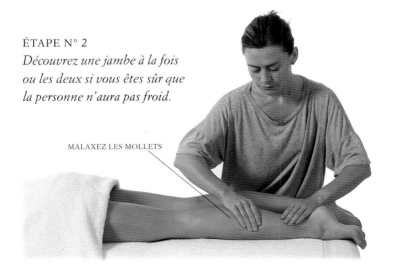

ÉTAPE N° 3

*Pour l'avant des jambes, concentrez
votre attention sur le malaxage et
l'effleurage des cuisses et travaillez
aussi sur les pieds. Vous pouvez plier
et faire tourner les chevilles, étirer
les orteils un par un et tapoter la
plante et le dessus des pieds avec
vos pouces.*

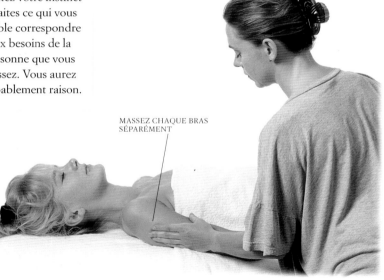

MASSEZ LES DEUX CÔTÉS
DE LA JAMBE

CONSEIL

Aussi inexpérimenté
que vous soyez en
matière de massage,
écoutez votre instinct
et faites ce qui vous
semble correspondre
aux besoins de la
personne que vous
massez. Vous aurez
probablement raison.

ÉTAPE N° 4

*Massez les bras l'un après l'autre.
Vous pouvez lever le bras lorsque
vous tenez la main de votre
partenaire pour mieux accéder
à la partie supérieure.
Travaillez l'intérieur des poignets
avec votre pouce.*

MASSEZ CHAQUE BRAS
SÉPARÉMENT

ÉTAPE N° 5

*Massez toujours l'estomac dans
le sens des aiguilles d'une montre,
car il correspond au sens de la
digestion. Décrivez de légers cercles
du bout des doigts et d'autres avec
les paumes autour du nombril.
N'oubliez pas que cette zone
est souvent assez sensible.*

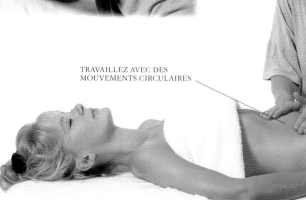

TRAVAILLEZ AVEC DES
MOUVEMENTS CIRCULAIRES

ÉTAPE N° 6

Pour masser le cou, vous devez glisser vos mains sous la nuque de votre partenaire. Si vous préférez, soulevez et faites pivoter doucement sa tête en la soutenant d'une main, tandis que l'autre masse le côté accessible du cou. Dans cette position, on peut aussi travailler la nuque du bout des doigts.

CONSEIL

Évitez le contact de l'huile (ou de vos doigts) avec les yeux de votre partenaire.

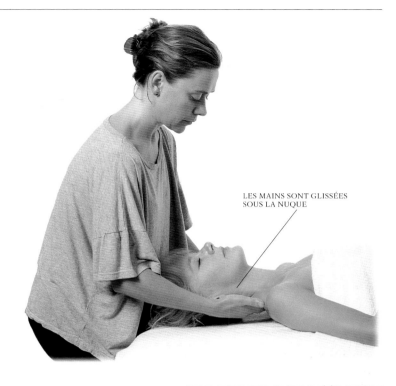

LES MAINS SONT GLISSÉES SOUS LA NUQUE

ÉTAPE N° 7

Massez du bout des doigts le cuir chevelu au-dessus du front avant de descendre vers le visage. Effleurez le front en remontant et le pourtour du menton. Vous pouvez aussi effectuer un léger pétrissage circulaire avec le majeur autour des pommettes et aux commissures des lèvres.

COURS DE MASSAGE

Une fois les gestes de base acquis, vous pouvez perfectionner votre technique en suivant un cours de massage délivré par un professeur qualifié. Si vous vous découvrez une vocation, vous pouvez décider de suivre une formation pour devenir professionnel et démontrer à votre entourage les bienfaits d'un toucher thérapeutique.

MASSEZ LE CUIR CHEVELU DU BOUT DES DOIGTS

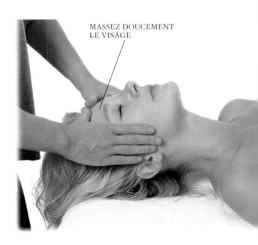

MASSEZ DOUCEMENT LE VISAGE

ÉTAPE N° 8

Terminez le massage en laissant reposer légèrement vos mains sur la tête de votre partenaire, délicatement posées sur les oreilles ou sur les épaules.

AIDE-MÉMOIRE

• **Le massage** doit toujours être un plaisir, aussi demandez à votre partenaire de vous indiquer ce qu'il a particulièrement apprécié, ou si quelque chose a été désagréable ou douloureux.

• **Le rythme** est l'élément le plus important dans un massage. En variant les rythmes en cours de séance, vous enverrez des ondes relaxantes dans tout le corps de votre partenaire.

• **Une fois que vous avez commencé**, essayez de garder une main sur le corps pendant toute la durée du massage. Un bon massage doit être ressenti comme une action continue.

• **Variez la pression.** Mieux vaut commencer légèrement et augmenter la pression lorsque vous sentez que votre partenaire s'est habitué à votre toucher sur une zone précise de son corps. Terminez par des pressions légères. N'ayez pas peur de travailler en profondeur sur des zones musculaires comme les cuisses ou les fesses. Servez-vous du poids de votre corps pour exercer une pression.

• **Concentrez-vous sur le massage.** Ne laissez pas votre esprit vagabonder et n'engagez pas la conversation – sauf si votre partenaire souhaite parler, mais ne l'encouragez pas à le faire. Suggérez-lui plutôt de se concentrer avec vous sur les sensations physiques du massage.

• **N'oubliez pas de respirer** lorsque vous faites un massage. On a tendance à retenir son souffle quand on se concentre sur une activité nouvelle. Surveillez également la respiration de votre partenaire. Pour bien commencer et finir un massage, demandez-lui d'inspirer trois fois profondément.

À DROITE *La personne qui pratique un massage doit en tirer autant de plaisir que celle qui en bénéficie.*

CONSEIL

N'oubliez pas de vous faire massez vous-même de temps à autre – surtout si vous travaillez beaucoup.

Adaptez votre rythme respiratoire au sien pour savoir comment il respire et observez sur vous l'effet produit. De temps à autre, attirez délicatement l'attention de votre partenaire sur sa respiration, mais pas trop souvent, pour ne pas l'angoisser. Dans l'idéal, la respiration de votre partenaire devrait s'apaiser pour devenir naturellement plus profonde au cours de la séance.

• **Un massage complet du corps** prend généralement jusqu'à 90 minutes. Si vous ne disposez pas de ce temps, concentrez-vous sur les zones qui ont le plus besoin d'être massées. Votre partenaire vous les indiquera.

• **Ne prenez pas les choses trop au sérieux** et ne vous inquiétez pas. Si vous ne savez pas comment poursuivre, continuez à masser d'une main détendue la zone sur laquelle vous travaillez, en variant votre rythme de temps en temps. Les idées viendront. Vous pouvez pratiquer un massage agréable et thérapeutique de tout le corps avec la technique de l'effleurage.

UNE TOUCHE D'AFFECTION

Rappelez-vous qu'un massage est un don, autant pour celui qui le reçoit que pour celui qui le fait. Le toucher est à double sens. La vie serait plus belle si chacun d'entre nous était disposé à donner et à recevoir un massage au moins une fois par semaine.

NOTES MÉDICALES

CONTRE-INDICATIONS
AU MASSAGE

Ne pratiquez pas de massage sur les personnes souffrant des affections suivantes :
• Hypertension ou problèmes cardiaques quels qu'ils soient, maladie contagieuse, fièvre ou température élevée.
• Infection cutanée, inflammation aiguë ou contusions graves.
• Inflammation du système circulatoire telle que phlébite ou thrombose.
• Douleur aiguë du dos, surtout si elle descend vers les bras ou les jambes. Si cela se produit en cours de massage, arrêtez aussitôt et conseillez à votre partenaire de consulter un médecin.

À DROITE *Selon l'état de santé, le massage peut être déconseillé.*

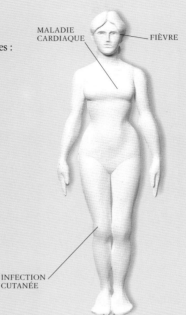

MALADIE CARDIAQUE — FIÈVRE

INFECTION CUTANÉE

EN PLUS
• Ne massez jamais sur des varices.
• Ne massez pas quelqu'un sujet au diabète, à l'hypertension ou à l'hypotension sans l'autorisation de son médecin.
• Ne massez jamais une personne épileptique si vous n'êtes pas sûr de l'attitude à adopter en cas de crise pendant la séance.
• (*Voir* ci-dessous pour un massage pendant la grossesse).

AVERTISSEMENT

Ne massez pas si vous n'êtes pas en forme, si vous manquez d'énergie ou si l'une des deux personnes vient de prendre un repas copieux.

MASSAGE
PENDANT LA GROSSESSE

Au-delà de quatre mois, un massage peut être merveilleusement bénéfique sur les femmes enceintes, mais n'est pas conseillé avant. Une femme enceinte ne sera probablement pas à l'aise couchée sur le ventre, aussi installez-la sur le côté ou sur le dos. Adaptez-vous à la situation : proposez-lui des oreillers supplémentaires à glisser entre les jambes ou pour appuyer son ventre quand elle est couchée sur le côté. Quand elle est à l'aise, massez les parties accessibles. Le massage du dos peut avoir un effet merveilleux si vous faites asseoir la future maman à califourchon sur une chaise, appuyée sur le dossier.

AVERTISSEMENT

Ne massez pas votre partenaire si elle est enceinte de moins de quatre mois.

CI-DESSOUS *Certaines femmes enceintes préféreront être assises sur une chaise plutôt qu'allongées.*

À CALIFOURCHON SUR UNE CHAISE, APPUYÉE SUR LE DOSSIER

Matière médicale

CE CHAPITRE *présente 36 des huiles les plus couramment utilisées en aromathérapie. Une illustration en couleurs et une description complète accompagnent chacune des plantes dont est extraite l'huile essentielle correspondante.*

ANGÉLIQUE

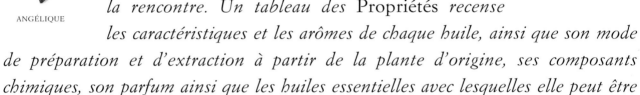

OLIBAN

Une carte représente les principales régions où on la rencontre. Un tableau des Propriétés *recense les caractéristiques et les arômes de chaque huile, ainsi que son mode de préparation et d'extraction à partir de la plante d'origine, ses composants chimiques, son parfum ainsi que les huiles essentielles avec lesquelles elle peut être associée pour donner un mélange agréable.*

La plupart des huiles aromatiques, comme les plantes dont elles sont extraites, sont utilisées depuis des millénaires. Leurs multiples usages ainsi que les croyances et pratiques auxquelles elles ont donné lieu, sont décrits en détail dans la rubrique Utilisation à travers les âges. *Le tableau* Notes médicales *répertorie les effets positifs de*

MARJOLAINE DOUCE

chaque huile, ainsi que les influences bénéfiques que chacune d'elles peut exercer sur notre bien-être psychologique et notre équilibre émotionnel.

Les huiles essentielles trouvent de multiples emplois. Les symboles figurant dans l'encadré Usage domestique

GÉRANIUM

vous rappelleront la manière la plus performante de les utiliser.

Les huiles essentielles, toutes très efficaces lorsqu'elles sont manipulées avec respect, peuvent aussi devenir extrêmement dangereuses entre des mains ignorantes ou négligentes. Des avertissements, à respecter impérativement, accompagnent les huiles présentant un risque.

À GAUCHE *Les illustrations en couleurs des 36 plantes décrites dans ce chapitre facilitent leur identification.*

Comment utiliser ce chapitre ?

Toutes les huiles aromatiques sont dérivées de plantes. La Matière médicale dresse un catalogue des plantes d'origine des principales huiles. Ces plantes sont présentées par leur nom botanique en ordre alphabétique. Si vous ignorez le nom de la famille à laquelle appartient la plante source, vous trouverez son nom vulgaire dans l'index à la fin du livre. Chaque entrée est organisée de la même manière, comme indiqué ci-dessous, afin que le lecteur trouve rapidement l'information recherchée.

CLÉ DES DIFFÉRENTES TECHNIQUES

À chacune des huiles correspondent des modes d'utilisation particulièrement appropriés. Ces symboles vous guideront dans votre recherche.

MASSAGE

BAIN

COMPRESSE

INHALATION

DIFFUSEUR

PREMIERS
SECOURS

Chaque entrée est organisée de la même manière pour faciliter la consultation. La page de gauche propose une introduction générale pour chaque plante, son apparence et son milieu, et décrit les propriétés de l'huile, ainsi que son mode d'extraction. La page de droite livre des détails sur les diverses utilisations de l'huile et son importance historique, avec des notes médicales spécifiques.

Principales utilisations en aromathérapie domestique. Les symboles représentent les techniques efficaces.

Les notes médicales détaillent les effets de l'huile sur la peau et ses usages psychologiques et émotionnels.

Photographie en couleurs de la plante dans son milieu naturel.

Croyances, mythes et pratiques historiques associés à la plante.

Gros plan de la partie de la plante dont l'huile est extraite.

Illustration des parties du corps sur lesquelles agit l'huile aromathérapique.

PROPRIÉTÉS DES HUILES

On a observé que certains composants chimiques apparaissaient dans de nombreuses huiles présentant les mêmes propriétés – et que les huiles d'une même famille botanique ont des attributs et des caractéristiques similaires. 21 familles botaniques fournissent les huiles utilisées en aromathérapie et 16 d'entre elles produisent les huiles les plus connues. Les termes employés pour décrire les propriétés des huiles sont largement expliqués au chapitre *Propriétés des huiles essentielles* (*voir* page 138).

Achillée millefeuille

ACHILLEA MILLEFOLIUM

FEUILLE D'ACHILLÉE

L'achillée millefeuille a longtemps été considérée comme une plante sacrée par les peuples du monde entier. Les druides s'en servaient pour prédire le temps ; en Chine, les tiges séchées sont toujours utilisées dans la divination Yi-King. Elle a des effets bénéfiques sur les systèmes circulatoire et digestif, facilite la digestion et soulage les désordres intestinaux.

CI-DESSUS *L'achillée millefeuille, dotée de vertus curatives puissantes, pousse de préférence au soleil.*

PROPRIÉTÉS

Nom de famille COMPOSÉES

Méthode d'extraction
Distillation à la vapeur d'eau à partir des sommités florales.

Composants chimiques
Bornéol (alcool) ; cinéole (cétone) ; azuline (sesquiterpène) ; limonène, pinène (terpènes).

Note
De tête.

Arôme
Doux et épicé.

Propriétés
Anti-inflammatoire, antiphylogistique, antipyrétique, antirhumatismale, antiseptique, antispasmodique, astringente, carminative, cholagogue, cicatrisante, digestive, diurétique, expectorante, fébrifuge, hémostatique, hypotenseur, stimulante, stomachique, tonique.

Mélanges
Angélique, camomille romaine, cèdre de l'Atlas, citron, genévrier, mélisse/citronnelle, pin sylvestre, romarin, sauge sclarée, vétiver.

Description générale
Petite herbe vivace aux feuilles pennées et aux fleurs roses et blanches.

Attributs et caractéristiques
Équilibrant, stabilisant, revitalisant ; tonique du système nerveux, c'est aussi un régulateur hormonal. L'achillée millefeuille peut équilibrer une légère tendance à l'hypertension.

AVERTISSEMENT
Chez certains individus, un usage excessif peut provoquer des migraines et irriter les peaux sensibles. Cette huile très puissante est à utiliser avec précaution pendant la grossesse.

Répartition géographique
Europe, Asie occidentale, Amérique du Nord.

À GAUCHE *L'achillée millefeuille peut atteindre 1 mètre de hauteur. De petits bouquets de fleurs roses et blanches éclosent en été et à l'automne.*

UTILISATION À TRAVERS LES ÂGES

Un des noms courants de l'achillée est la millefeuille, du latin *millefolium*; mais cette plante a de nombreux noms vulgaires : herbe de saint Jean, bouton d'argent ou encore herbe à éternuer (achillée sternutatoire).

La légende prétend qu'Achille, héros de l'Iliade, utilisa la plante pour soigner les blessures du soldat Télèphe pendant la Guerre de Troie ; d'où son nom.

En Écosse, la plante était autrefois utilisée comme un moyen magique pour chasser les esprits diaboliques.

Dans la Chine ancienne, c'était une plante sacrée utilisée pour lire le Yi-King, art millénaire chinois de la divination.

Dans la médecine chinoise, elle est censée représenter l'équilibre parfait entre les oppositions naturelles du Yin et du Yang, qui se manifestent dans les polarités dur et mou, chaud et froid, humide et sec, etc.

« Saigne-nez » est l'un de ses nombreux noms populaires.

En Europe, les jeunes filles avaient l'habitude de la placer sous leur oreiller dans l'espoir de voir leur futur époux en rêve.

La plante fut utilisée à la fois par les Anglo-Saxons et les croisés pour soigner les blessures à l'arme blanche.

L'achillée millefeuille est réputée pour ses nombreuses vertus curatives ; on l'utilise traditionnellement pour prévenir et traiter indifféremment cancer du poumon, épilepsie, hystérie et diabète.

Les Norvégiens s'en servent pour soigner les rhumatismes.

En Suède, on l'ajoute à la bière.

CI-DESSUS *Le héros légendaire Achille utilisa cette plante pour soigner un soldat blessé.*

À GAUCHE *Les Chinois pensent que l'achillée millefeuille représente l'équilibre parfait, comme le symbole du Yin et du Yang.*

NOTES MÉDICALES

EFFETS SUR LA PEAU
• Agit comme un tonique et un régulateur efficace du cuir chevelu.
• Favorise la pousse des cheveux.
• Facilite le processus naturel de guérison des blessures, coupures, peaux sèches, éruptions cutanées et plaies.

USAGES PSYCHOLOGIQUES ET ÉMOTIONNELS
• Aide à retrouver le moral.
• Soulage les désordres liés au stress, en particulier l'hypotension.
• Apporte un sommeil réparateur.

USAGE DOMESTIQUE

• Fortifiant général, l'achillée millefeuille agit sur la mœlle osseuse et stimule le renouvellement des corpuscules.
• Peut soigner une légère hypertension.
• Soulage varices, engelures et problèmes circulatoires, mais vous ne devez pas masser directement la zone affectée.

• Équilibre les règles irrégulières ou hémorragiques et peut soulager inflammation des ovaires, prolapsus de l'utérus et fibrome.
• Parce qu'elle facilite la digestion, l'achillée millefeuille calme les douleurs d'estomac, favorise la sécrétion des sucs digestifs et améliore l'assimilation des aliments.
• Peut soulager diarrhées,

flatulences, crampes et coliques.
• Facilite la transpiration en ouvrant les glandes sudoripares ; peut abaisser la fièvre et dégager les voies supérieures.
• Possède un effet équilibrant sur le volume urinaire et permet de soigner l'incontinence.
• Soulage les douleurs musculaires et les migraines.

Angélique

ANGELICA ARCHANGELICA

Associée par son nom et la légende à l'archange Raphaël, l'angélique a des liens très étroits avec la chrétienté et a longtemps été employée pour se protéger du diable. De nombreuses parties de cette grande plante sont utilisées pour soulager la douleur et stimuler le système immunitaire.

HUILE
D'ANGÉLIQUE

CI-DESSUS *Avec ses grandes feuilles brillantes d'un vert lumineux, l'angélique apporte au jardin une ambiance tropicale luxuriante.*

PROPRIÉTÉS

Nom de famille **APIACÉES (OMBELLIFÈRES)**

Méthode d'extraction
Distillation à la vapeur d'eau des racines, rhizomes, fruits et graines de la plante.

Composants chimiques
Bornéol, linalol (alcools) ; bergaptène (lactone) ; limonène, phellandrène, pinène (terpènes).

Note
De fond.

Arôme
Terreux, doux et pénétrant.

Propriétés
Antispasmodique, aphrodisiaque, carminative, dépurative, diurétique, emménagogue, expectorante, fébrifuge, hépatique, nervine, stimulante, stomachique, sudorifique, tonique.

Mélanges
Basilic commun, camomille romaine, citron, géranium, lavande, mandarine, pamplemousse, patchouli, sauge sclarée, vétiver.

Description générale

Grande plante vivace velue avec des feuilles pennées semblables aux fougères et des fleurs odorantes blanc-vert.

Attributs et caractéristiques

Angélique, nettoyant, roboratif, revitalisant, stimulant.

Répartition géographique
Cultivée en Belgique, Hongrie et Allemagne. Originaire d'Afrique du Nord, d'Europe et de Sibérie. Découverte en Europe au XVIᵉ siècle.

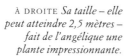

À DROITE *Sa taille – elle peut atteindre 2,5 mètres – fait de l'angélique une plante impressionnante.*

UTILISATION À TRAVERS LES ÂGES

❦ L'angélique était utilisée dans les rituels mystiques. Le jus jaune des racines entrait dans la composition de remèdes contre les pouvoirs démoniaques des sorcières.

❦ Elle était cultivée dans les monastères sous le nom d'« herbe-aux-anges » et était également appelée « herbe du Saint-Esprit ».

❦ Selon la légende, l'archange Raphaël aurait révélé les vertus de l'angélique en rêve à un moine du Xᵉ siècle, afin que les hommes l'utilisent comme antidote aux terribles effets de la peste. L'« eau d'angélique » est citée dans une brochure publiée par le Collège royal de médecine en 1665, année de la Grande Peste à Londres.

❦ Elle est souvent utilisée pour parfumer les liqueurs de Chartreuse et de Bénédictine et entre aussi dans la composition du gin et de certains parfums.

❦ L'angélique confite sert à décorer des gâteaux.

USAGE DOMESTIQUE

• En inhalation : combat vertiges, nausées et anxiété ; décongestionne le nez et apaise la toux ; soulage coups de froid, bronchites chroniques et pleurésie.
• Peut soulager indigestion, flatulences, nausées et coliques.
• Stimule le système lymphatique, accélère la guérison des coupures, contusions, écorchures, douleurs articulaires et musculaires.

• Soulage la cystite grâce à ses propriétés antiseptiques et ses affinités avec le système urinaire. Peut également être utilisée pour les inflammations rhumatismales.
• Limite la production d'acide urique et apaise ainsi l'arthrite, la goutte et la sciatique.
• Soulage rapidement la douleur et peut calmer céphalées, migraines et maux de dents.

CI-DESSUS À GAUCHE
La culture de l'angélique était très répandue dans les monastères, où elle était connue sous le nom d'herbe du Saint-Esprit.

À DROITE *L'angélique stimule le système immunitaire et accélère la guérison des coupures et contusions.*

Les nœuds lymphatiques nettoient la lymphe circulant dans le système du même nom.

Les vaisseaux lymphatiques conduisent la lymphe dans toutes les parties du corps.

AVERTISSEMENT

L'huile de racine d'angélique peut être phototoxique : ne vous exposez pas au soleil après utilisation pour éviter des irritations de la peau. Mieux vaut aussi s'en dispenser en cas de grossesse et de diabète. Une utilisation excessive d'huile d'angélique peut avoir des effets narcotiques et ralentir la circulation.

NOTES MÉDICALES

EFFETS SUR LA PEAU
• Bon tonique de la peau. L'angélique redonne de l'éclat à une peau terne et congestionnée, et apaise les éruptions ou irritations cutanées, dont le psoriasis.

USAGES PSYCHOLOGIQUES ET ÉMOTIONNELS
• Stimule le système nerveux et soulage l'épuisement et le stress.
• Apporte un sentiment d'équilibre et un réconfort aux personnes confrontées à des problèmes et des décisions difficiles.
• Favorise la méditation en ouvrant sur les énergies métaphysiques.

HUILE DE BOIS
DE ROSE

Bois de rose

ANIBA ROSAEODORA

Plus connu pour son utilisation en parfumerie et en ébénisterie comme bois précieux, le bois de rose est également un produit de soins très efficace pour la peau. Mais utilisez-le avec parcimonie, car sa culture contribue à la déforestation de la jungle amazonienne.

CI-DESSUS *Le bois de rose est un arbre à feuilles persistantes de taille moyenne qui pousse dans la forêt vierge amazonienne.*

PROPRIÉTÉS

Nom de famille LAURACÉES

Méthode d'extraction
Distillation à la vapeur d'eau à partir de copeaux du cœur du bois.

Composants chimiques
Géraniol, linalol, nérol, terpinéol (alcools) ; cinéole (cétone) ; dipentène (terpène).

Note
De fond.

Arôme
Chaud, épicé, doux, floral et boisé.

Propriétés
Analgésique, anticonvulsive, antidépressive, antimicrobienne, antiseptique, aphrodisiaque, bactéricide, céphalique, déodorante, insecticide, stimulant (système immunitaire), tonique. Également stimulant cellulaire et régénérateur des tissus.

Mélanges
Bois de santal, cèdre de l'Atlas, géranium, néroli, oliban, patchouli, romarin, rose.

Description générale

Arbre tropical à feuilles persistantes au cœur et à l'écorce rouges et aux fleurs jaunes.

Attributs et caractéristiques

Profondément relaxant sans être pour autant sédatif, c'est un stimulant du système immunitaire. C'est aussi un aphrodisiaque et il constitue un excellent soin pour la peau.

Répartition géographique
Brésil (où il est connu sous le nom de jacaranda), Pérou.

À DROITE *L'huile de bois de rose est distillée à partir de copeaux du cœur du bois.*

USAGE DOMESTIQUE

- Dynamise le système immunitaire et aide le corps à chasser virus, infections et affections chroniques.
- Utile contre les coups de froid et les fièvres ; également efficace contre les toux irritantes.
- Soulage les migraines, surtout si elles sont accompagnées de nausées.

- Idéal pour surmonter le décalage horaire.
- Bon déodorant, car il régule l'humidité excessive du corps.
- Repousse les insectes.
- Tonique efficace sans effets stimulants ou sédatifs particuliers.

CI-DESSUS *Utilisez le bois de rose pour chasser les insectes nuisibles dont la piqûre irrite.*

UTILISATION À TRAVERS LES ÂGES

Employé depuis longtemps en parfumerie, ce n'est que très récemment que le bois de rose a fait son entrée en aromathérapie.

Les Indiens d'Amazonie s'en servent pour soigner les blessures et les affections cutanées.

Le bois était utilisé en ébénisterie, marqueterie, et sculpture, et servait aussi à faire des manches pour des ustensiles domestiques tels que brosses et couteaux.

De nos jours, le bois de rose est massivement exporté au Japon pour la fabrication de baguettes et aux États-Unis pour la confection de meubles.

Comme l'arbre pousse à l'état sauvage dans la forêt tropicale brésilienne, la demande excessive en bois et en huile, facteur de destruction de l'environnement, est préoccupante. Le gouvernement brésilien exige désormais qu'un nouvel arbre soit planté pour chaque arbre coupé. Mais cette reforestation est un échec, car la destruction de la forêt primaire détériore l'état du sol.

BAGUETTES

CI-DESSUS *Les Japonais fabriquent des baguettes en bois de rose.*

CI-DESSUS *Les peuples de la forêt amazonienne utilisent le bois de rose pour traiter les problèmes de peau et soigner les blessures.*

NOTES MÉDICALES

EFFETS SUR LA PEAU
- Stimulant cellulaire et régénérateur des tissus, il est également efficace contre l'acné, les cicatrices et les rides.
- Remède souverain contre les coupures et blessures.
- Bénéfique contre les peaux sèches, ternes et les inflammations.

USAGES PSYCHOLOGIQUES ET ÉMOTIONNELS
- Équilibre et apaise l'esprit grâce à son effet stabilisateur sur le système nerveux central.
- Remonte le moral et dynamise.
- Bénéfique si vous vous sentez fatigué, préoccupé ou submergé par les problèmes ; efficace contre la tension nerveuse et tous les troubles liés au stress.
- Éclaircit les idées et calme les nerfs.

- Aphrodisiaque, il réveille la libido. Efficace en cas d'impuissance et de frigidité, surtout si les causes sont d'ordre émotionnel.
- En brûlant, l'huile dégage une odeur agréable qui favorise la méditation. Très apaisante, sans pour autant entraîner un état de somnolence.
- Huile profondément relaxante et procurant une sensation d'intimité.

AVERTISSEMENT
Traitez le bois de rose avec respect. Son exploitation contribue à la destruction de la forêt tropicale amazonienne, à moins qu'une solution ne soit trouvée pour sa reforestation.

Oliban

BOSWELLIA CARTERI

OLIBAN

Aussi prisé que l'or à une certaine époque, l'oliban est tenu en très haute estime depuis des millénaires. On le brûle en offrande pendant les offices catholiques et il est également utilisé pour traiter de nombreuses affections, y compris les troubles nerveux et les infections urinaires.

À DROITE *L'huile d'oliban est extraite par distillation à la vapeur d'eau de la gomme oléorésineuse.*

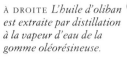

CI-DESSUS *Le tronc de l'arbuste produit une gomme oléorésineuse naturelle.*

Description générale

Petit arbre ou buisson avec un feuillage penné abondant et des fleurs blanches ou roses.

Attributs et caractéristiques

Céphalique, réchauffant, roboratif. Il élève l'esprit et favorise la méditation. Il est également utilisé comme agent de conservation.

PROPRIÉTÉS

Nom de famille BURSERACÉES

Méthode d'extraction
Distillation à la vapeur d'eau de la gomme résineuse récoltée après incision de l'écorce.

Composants chimiques
Olibanol (alcool) ; cadinène (sesquiterpène) ; camphène, dipentène, pinène, phellandrène (terpènes).

Note
De fond.

Arôme
Chaud, riche et légèrement citronné ; persistant et pénétrant.

Propriétés
Anti-inflammatoire, antiseptique, astringente, carminative, cicatrisante, cytophylactique, digestive, diurétique, emménagogue, expectorante, sédative, tonique, utérine, vulnéraire.

Mélanges
Basilic commun, bergamote, bois de santal, citron vert, géranium, lavande, mandarine/tangerine, mélisse/citronnelle, néroli, pamplemousse, patchouli, pin sylvestre, vétiver.

HUILE D'OLIBAN

Répartition géographique
Somalie, Éthiopie,
Chine, Arabie.

AVERTISSEMENT

Non toxique, non irritant et non sensibilisant. À utiliser toutefois avec modération, comme toute autre huile essentielle.

À DROITE *Depuis la nuit des temps, on utilise l'oliban pour purifier.*

CI-DESSOUS À GAUCHE *Les Rois mages offrent de l'encens à l'Enfant Jésus.*

UTILISATION À TRAVERS LES ÂGES

- L'oliban est vénéré depuis au moins 3 000 ans.

- Dans de nombreuses cultures, il était brûlé pour apaiser les dieux. Il fut offert en cadeau par les Rois mages à l'Enfant Jésus.

- L'oliban est toujours brûlé en offrande pendant les offices catholiques.

- Sa valeur commerciale fut à une époque presque aussi élevée que celle de l'or.

- De nombreuses cultures l'utilisaient pour traiter presque toutes les maladies.

- On le brûlait pour exorciser les esprits habités par le démon et purifier ainsi à la fois le corps et l'âme.

- Les anciens Égyptiens l'utilisaient en cosmétique pour les masques faciaux et les embaumements. Les Chinois s'en servaient pour soigner la tuberculose des glandes lymphatiques et la lèpre.

- L'oliban (lat. *olibanum*), signifie « huile du Liban ».

- L'oliban est plus connu sous le nom d'« encens ».

USAGE DOMESTIQUE

- Grâce à son effet puissant sur les muqueuses, il est particulièrement efficace pour dégager les poumons et les fosses nasales.
- Facilite la respiration.
- Ses effets calmants le recommandent en inhalations, surtout dans les situations de stress telles les crises d'asthme.
- Peut soulager une indigestion.

- Possède des affinités avec les voies génito-urinaires et peut soulager les cystites.
- Tonifie l'utérus et régule des règles trop abondantes.
- Très bénéfique s'il est ajouté au bain pendant la menstruation ou une grossesse.
- Appréciable pendant l'accouchement pour ses effets apaisants et parce qu'il favorise la concentration.

NOTES MÉDICALES

EFFETS SUR LA PEAU
- Agit très efficacement sur la peau grâce à son action tonique et régénératrice.
- Ses vertus astringentes peuvent avoir une action sur les peaux grasses.
- Aide à soigner blessures et contusions.

USAGES PSYCHOLOGIQUES ET ÉMOTIONNELS
- Bénéfique pour remonter le moral.
- A un effet tonique sur le système nerveux mais ralentit aussi la respiration ; rassérénant grâce à son effet calmant et apaisant.
- Rassure en cas de manque de confiance en soi ou de troubles émotionnels.

- Permet de rompre les engagements émotionnels ancrés dans le passé et contribue au développement personnel et spirituel.
- Favorise toutes sortes de méditations en créant une atmosphère propice.
- La fumée dégage du tétrahydrocannabinol, un composant chimique qui aiguise la conscience. Attention, il s'agit d'une drogue (cannabis) !

CI-DESSOUS *Inhalez de l'huile d'oliban dans un mouchoir pour dégager les voies respiratoires.*

Ylang-ylang

CANANGA ODORATA

*Bel arbre odorant, l'ylang-ylang est également appelé « arbre à parfum ».
À l'ère victorienne, il entrait dans la fabrication d'une huile capillaire,
le macassar. Calmants et apaisants, les extraits d'ylang-ylang sont considérés
à juste titre comme les « sels aromatiques » de l'aromathérapie.*

HUILE
D'YLANG-
YLANG

CI-DESSUS *L'ylang-ylang pousse en
Asie tropicale, surtout en Indonésie et
aux Philippines.*

PROPRIÉTÉS

Nom de famille **ANNONACÉES**

Méthode d'extraction
*Distillation à la vapeur d'eau
des fleurs fraîches. Il existe
plusieurs qualités d'huile,
l'extra supérieure étant
la meilleure et la plus chère.
L'huile produite lors
de la première distillation
est de qualité supérieure.
Les fabricants en font ensuite
une seconde pour récupérer
la moindre goutte d'huile.*

Composants chimiques
*Benzoïque (acide) ; farnésol,
géraniol, linalol (alcools) ;
acétate benzyle (ester) ;
eugénol, safrol (phénols) ;
cadinène (sesquiterpène) ;
pinène (terpène).*

Note
De fond.

Arôme
Floral et exotique.

Propriétés
*Antidépressive, anti-
infectieuse, antiséborrhéique,
antiseptique, aphrodisiaque,
euphorisante, hypotenseur,
nervine, régulatrice ; sédatif
(nerveux), stimulant
(circulatoire), tonique.*

Mélanges
*Bergamote, bois de rose,
bois de santal, citron, jasmin,
lavande, mélisse/citronnelle,
néroli, pamplemousse,
patchouli, rose. L'huile
est plus active utilisée
en association avec d'autres
huiles.*

Description générale

Petit arbre tropical semi-sauvage, à feuilles persistantes
et brillantes. Son bois est fragile et ses fleurs sont roses,
mauves et jaunes. Ce sont ces dernières qui produisent
la meilleure huile.

Attributs et caractéristiques

Aphrodisiaque, calmant,
euphorique, narcotique,
adoucissant. Peut réduire
l'hypertension due au stress
ou à un choc psychologique.

À DROITE *L'ylang-ylang
atteint jusqu'à 20 mètres
de haut et donne des fleurs
odorantes roses, mauves
et jaunes.*

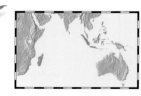

Répartition géographique
Philippines, Java, Sumatra,
Madagascar, La Réunion.

USAGE DOMESTIQUE

• Abaisse l'hypertension et détend le système nerveux central.

• Réduit les palpitations.

• Équilibre la production hormonale et possède des affinités avec les organes reproducteurs.

• Tonique utérin, il peut être efficace à plusieurs niveaux – physique, psychologique et émotionnel – après un accouchement par césarienne.

• Aide à lutter contre la dépression postnatale.

• Antiseptique intestinal, il soulage les troubles digestifs et les intoxications alimentaires sans gravité (placez l'huile dans un brûleur ou massez doucement l'estomac).

AVERTISSEMENT

À éviter sur une peau irritée ou affectée de dermatose. Un usage trop fréquent peut provoquer migraines et nausées.

UTILISATION À TRAVERS LES ÂGES

🐝 Son nom signifie « fleur des fleurs » et vient du malais *alang-ilang*, qui fait référence aux fleurs ondoyant dans la brise.

🐝 L'arbre est aussi appelé « arbre à parfum ».

🐝 Dans le Pacifique, les femmes appliquent l'huile d'ylang-ylang sur leurs cheveux après l'avoir mélangée à de l'huile de coco. Elles s'en servent aussi comme lotion corporelle hydratante et pour prévenir fièvres et infections.

🐝 C'était un ingrédient du macassar, huile capillaire populaire au XIXᵉ siècle en Europe (des antimacassars furent inventés pour éviter que l'huile laisse des tâches sur les dossiers des sièges).

🐝 En Indonésie, la coutume veut que l'on couvre le lit des jeunes mariés de pétales d'ylang-ylang.

🐝 Au début du XXᵉ siècle, des chercheurs ont découvert que l'huile pouvait agir contre la malaria, le typhus et les infections intestinales. Ils ont aussi reconnu ses effets apaisants sur le cœur.

NOTES MÉDICALES

EFFETS SUR LA PEAU
• Régule la production de sébum. Également efficace sur les peaux grasses et sèches.

• Tonique du cuir chevelu, il favorise la pousse des cheveux.

USAGES PSYCHOLOGIQUES ET ÉMOTIONNELS
• Très bénéfique en cas de difficultés émotionnelles ou physiques dues à un manque de confiance en soi.

• Calme l'excitation et l'hystérie, et régule le taux d'adrénaline.

• Efficace contre la panique, l'anxiété, la peur et la colère. Favorise la sérénité dans la gestion des problèmes et des situations difficiles.

• Apaise la colère et la frustration.

• Aphrodisiaque, il chasse l'anxiété.

• En cas d'urgence, le faire respirer à même la bouteille comme des sels, mais si les symptômes persistent, vous devez consulter un médecin.

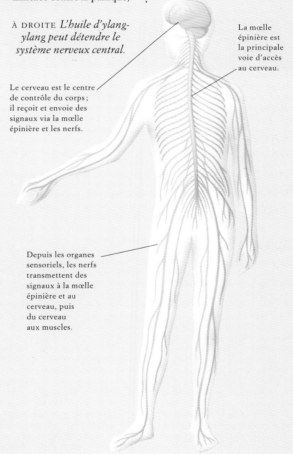

À DROITE *L'huile d'ylang-ylang peut détendre le système nerveux central.*

La mœlle épinière est la principale voie d'accès au cerveau.

Le cerveau est le centre de contrôle du corps ; il reçoit et envoie des signaux via la mœlle épinière et les nerfs.

Depuis les organes sensoriels, les nerfs transmettent des signaux à la mœlle épinière et au cerveau, puis du cerveau aux muscles.

Cèdre de l'Atlas

CEDRUS ATLANTICA

CÔNE DU CÈDRE DE
L'ATLAS

HUILE
DE CÈDRE
DE L'ATLAS

Bois de construction très prisé, le cèdre de l'Atlas était également utilisé par les anciens Égyptiens dans le cosmétique et la parfumerie, ainsi que pour les embaumements. Longtemps associé aux cérémonies religieuses, il est toujours brûlé comme encens dans les temples tibétains.

CI-DESSUS *Ce grand arbre à feuilles persistantes est originaire des monts algériens de l'Atlas, mais la majeure partie de l'huile essentielle provient du Maroc.*

PROPRIÉTÉS

Nom de famille PINACÉES

Méthode d'extraction
Distillation à la vapeur d'eau à partir du bois. De petites quantités de résinoïde et d'absolu peuvent également être produites.

Composants chimiques
Cédrol (alcool) ; cadinène, cédrène, cédrénol (sesquiterpènes).

Note
De fond.

Arôme
Ressemble au bois de santal séché et mélangé à de la térébenthine. Rappelle l'odeur d'un crayon fraîchement taillé.

Propriétés
Antiputréfactive, antiséborrhéique, antiseptique, aphrodisiaque, astringente, diurétique, émolliente, expectorante, fongicide, insecticide, mucolytique ; sédatif (nerveux), stimulant (circulatoire), tonique.

Mélanges
Bergamote, bois de rose, camomille romaine, citron, cyprès, genévrier, jasmin, lavande, néroli, oliban, romarin, rose, sauge sclarée, vétiver, ylang-ylang.

Description générale

Arbre majestueux de forme pyramidale à feuilles persistantes. Il peut atteindre 50 mètres de haut. Le bois est très parfumé en raison de la grande quantité d'huile essentielle qu'il contient.

Attributs et caractéristiques

Antidépresseur, aphrodisiaque, solide, protecteur, fortifiant. Ralentit la chute des cheveux et soulage la cystite. Favorise la méditation, élève l'esprit.

À DROITE *Le cèdre de l'Atlas est un arbre à feuilles persistantes pouvant atteindre 50 mètres de haut.*

AVERTISSEMENT

L'huile est non toxique, non irritante et non sensibilisante. À éviter cependant durant la grossesse.

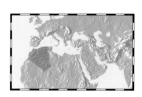

Répartition géographique
On pense qu'à l'origine, il provenait du Liban et de Chypre, mais il tient son nom des monts algériens de l'Atlas. Aujourd'hui, les huiles les plus pures sont produites au Maroc.

USAGE DOMESTIQUE

• Peut agir comme un expectorant et un décongestionnant.
• Soulage les symptômes de la bronchite et du catarrhe.
• Possède des affinités avec le système génito-urinaire, peut calmer cystite et autres problèmes similaires.
• Favorise le drainage lymphatique et stimule l'élimination des graisses accumulées.
• Diurétique, il est efficace contre la cellulite, l'œdème et l'excès de graisse.
À éviter en usage interne.

UTILISATION À TRAVERS LES ÂGES

Le mot cèdre vient de l'arabe *kedron*, qui signifie « pouvoir ».

Traditionnellement, les cèdres étaient plantés dans les cimetières parce qu'on pensait qu'ils favorisaient la longévité. Le bois servait à fabriquer des cercueils.

L'huile était exportée du Liban vers l'ancienne Égypte, où le bois était jugé imputrescible et servait dans la préparation des embaumements, des cosmétiques et des parfums.

Aujourd'hui, le cèdre est utilisé comme encens dans les temples tibétains.

L'huile est censée favoriser la spiritualité et renforcer les liens avec le divin.

C'est l'un des ingrédients utilisés pour la mithridatisation, un moyen ancien de s'immuniser contre le poison.

L'huile est utilisée comme arôme et fixateur dans les cosmétiques et les produits domestiques (savons et détergents), ainsi que dans des parfums pour hommes.

CI-DESSUS *La population tibétaine utilise le bois de cèdre dans sa médecine traditionnelle et le brûle en encens dans les temples.*

NOTES MÉDICALES

EFFETS SUR LA PEAU
• Efficace contre l'acné, les pellicules, les dermatoses, les peaux sèches ou grasses, l'eczéma, les éruptions cutanées et les plaies.
• Efficace aussi sur les infections mycosiques.
• Connu pour stimuler la pousse des cheveux et donc efficace en cas d'alopécie.

USAGES PSYCHOLOGIQUES ET ÉMOTIONNELS
• Calmante et apaisante, elle favorise la méditation.
• Son arôme tenace élève et stimule l'esprit et le psychisme. Elle a une vertu revigorante qui chasse la dépression et dissipe l'anxiété ou la peur.
• On prétend qu'elle remet sur le droit chemin.

À DROITE *Servez-vous du bois de cèdre dans votre recherche spirituelle et pour la méditation.*

Camomille romaine

CHAMAEMELUM NOBILE

*Les anciens Égyptiens l'avaient dédiée au dieu du soleil Râ
et les médecins grecs la prescrivaient contre les fièvres.
La camomille, une des neuf herbes sacrées du Lacnunga, ancien texte
anglo-saxon, est célèbre depuis l'Antiquité pour ses vertus curatives.*

HUILE DE CAMOMILLE

TIGE DE CAMOMILLE

Répartition géographique
Grande-Bretagne, Allemagne,
France, Maroc, Hongrie,
Belgique, Italie, États-Unis.

CI-DESSUS *En pleine floraison,
un parterre de camomille dégage
une délicieuse odeur de pomme.*

Description générale
Petite herbe vivace aux feuilles légèrement duveteuses
en forme de plumes, avec des fleurs blanches. La plante
entière exhale un délicieux parfum de
pomme.

Attributs et caractéristiques
Apaisant, curatif, doux, réchauffant,
réconfortant, tonique. Possède des
effets identiques à ceux de la camomille bleue (*Matricaria chamomilla*),
plus chère.

À DROITE *Des fleurs
ressemblant à des
marguerites, des feuilles
pennées et une tige
échevelée caractérisent
cette jolie plante
aromatique.*

PROPRIÉTÉS

Nom de famille **COMPOSÉES**

Méthode d'extraction
*Distillation à la vapeur d'eau
des fleurs séchées.*

Composants chimiques
*Angélique, méthacrylique,
tiglique (acides) ; azuline
(sesquiterpène). L'azuline
est absente de la plante,
mais se forme dans
l'huile.*

Note
De cœur.

Arôme
Fort, sec et fruité.

Propriétés
*Analgésique, antiallergénique,
antianémique, anticonvulsive,
antidépressive, antiémétique,
antinévralgique,*
*antiphylogistique,
antipruritique,
antirhumatismale,
antiseptique, antispasmodique,
bactéricide, carminative,
cholagogue, cicatrisante,
digestive, diurétique,
emménagogue, émolliente,
fébrifuge, hépatique,
hypnotique, nervine, sédative,
splénétique, stomachique,
sudorifique, tonique,
vermifuge, vulnéraire.*

Mélanges
*Angélique, bergamote,
géranium, jasmin, lavande,
marjolaine, néroli,
patchouli, rose, sauge sclarée,
ylang-ylang.*

UTILISATION À TRAVERS LES ÂGES

Le nom commun est un dérivé de l'expression grecque *khamaimêlon*, qui signifie « pomme du sol ».

Le nom originel *nobile* signifie « noblesse » ou « noble ».

Les anciens Égyptiens la considéraient comme sacrée et l'avaient dédiée à Râ, leur dieu du soleil.

Elle était utilisée en Égypte pour soigner toutes les fièvres et oindre les corps.

Connue sous le nom de *maythen* chez les Saxons, c'était l'une de leurs neuf herbes sacrées.

Elle fut plus tard dédiée à sainte Anne, la mère de la Vierge Marie.

À l'époque élisabéthaine, on s'en servait pour chasser les mauvaises odeurs des maisons.

Elle est traditionnellement employée pour éclaircir les cheveux. L'infusion de camomille est réputée pour faciliter la digestion et favoriser le sommeil.

À l'époque des Tudor, les pelouses de camomille étaient célèbres pour leur résistance et l'odeur qu'elles dégageaient quand on marchait dessus.

On a coutume de l'appeler le « médecin des plantes », car elle débarrasse les plantes voisines de leurs maladies.

À DROITE *Les anciens Égyptiens avaient consacré la camomille, herbe vénérée entre toutes, à Râ, leur dieu du soleil.*

USAGE DOMESTIQUE

• Soulage les douleurs musculaires, surtout si elles sont liées à des problèmes nerveux et de stress.
• Peut être utilisée pour l'arthrite, les migraines, les névralgies, les rages de dents, les douleurs accompagnant les poussées dentaires et les otites.
• Excellente en compresses pour traiter entorses et irritations des articulations.
• Régule le cycle menstruel et soulage les règles douloureuses.
• Apaise le syndrome prémenstruel et tous les problèmes relatifs à la ménopause.

• Facilite la digestion et calme troubles gastriques et intestinaux, diarrhées, coliques, vomissements et flatulences.
• Soulage la jaunisse et les problèmes de foie.
• Possède des affinités avec le système génito-urinaire ; apaise la cystite.
• Stimule la production de globules blancs, qui combattent les infections et renforcent le système immunitaire.
• Efficace dans le traitement des symptômes liés aux problèmes émotionnels ou au stress, notamment les réactions cutanées.

À DROITE *Utilisez la camomille en compresses pour soulager entorses et inflammations articulaires.*

NOTES MÉDICALES

EFFETS SUR LA PEAU
• Efficace contre les brûlures, ampoules, inflammations, plaies, furoncles et blessures.
• Soulage les peaux hypersensibles, l'acné, les mycoses, l'herpès, les dermatoses, le psoriasis et les allergies.
• Efficace contre les peaux sèches et les démangeaisons.
• Améliore l'élasticité de la peau.

USAGES PSYCHOLOGIQUES ET ÉMOTIONNELS
• Huile très relaxante ; elle dissipe l'anxiété, la tension, la colère et la peur.
• Favorise un sentiment de bien-être, de confort et de paix ; elle chasse les soucis.
• Très efficace contre l'insomnie.

AVERTISSEMENT
À éviter pendant les quatre premiers mois de la grossesse. À haute dose, elle est légèrement hypnotique ou soporifique, mais jamais dépressive.

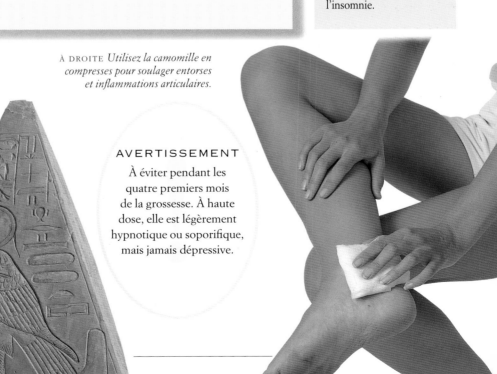

Citron vert

CITRUS AURANTIFOLIA

Stimulant digestif, le citron vert est un remède traditionnel contre l'indigestion, les aigreurs d'estomac et les nausées. Il est également utilisé pour soigner fièvres, toux, coups de froid et gorges irritées ; grâce à ses propriétés astringentes, c'est un excellent produit rafraîchissant pour les soins cutanés.

ZESTE DE
CITRON VERT

CI-DESSUS *Le citron vert pousse sur un arbre à feuilles persistantes de taille moyenne. En mûrissant, les fruits passent du jaune au vert.*

Description générale

Petit arbre à feuilles persistantes lisses et fleurs blanches. Le fruit mûr est vert et généralement plus petit que le citron jaune.

Attributs et caractéristiques

Antiseptique, rafraîchissant, roboratif, tonique et stimule l'appétit.

CI-DESSOUS *Le citron vert est acide et amer.*

PROPRIÉTÉS

Nom de famille RUTACÉES

Méthode d'extraction

Pression du fruit avant maturité et de son zeste. Une grande quantité d'huile essentielle est distillée à partir du fruit entier ; elle se distingue par une odeur plus citronnée.

Composants chimiques

Linalol, terpinéol (alcools) ; citral (aldéhyde) ; acétate lynalyle (ester) ; bergaptène (lactone – uniquement dans l'huile pressée et non dans l'huile distillée) ; limonène, pinène, sabinène, terpilonène (terpènes).

Note

De tête.

Arôme

Léger, riche et sucré.

Propriétés

Analgésique, antidépressive, antimicrobienne, antipyrétique, antirhumatismale, antiscorbutique, antiseptique, antivirale, apéritive, astringente, bactéricide, carminative, déodorante, désinfectante, fébrifuge, fortifiante, galactagogue, hémostatique, insecticide, nervine ; sédatif (nerveux), tonique.

Mélanges

Angélique, bergamote, bois de santal, camomille romaine, eucalyptus, fenouil, genévrier, géranium, lavande, néroli, pamplemousse, rose, ylang-ylang.

AVERTISSEMENT

L'huile pressée peut provoquer une photosensibilité sous une lumière intense, ce qui n'est pas le cas de l'huile distillée. À utiliser avec modération, car elle peut irriter les peaux sensibles.

Répartition géographique

Origines asiatiques. Désormais cultivé en Italie, aux Antilles, aux États-Unis et au Mexique.

UTILISATION À TRAVERS LES ÂGES

🌿 Il fut introduit en Europe par les Maures, et en Amérique par les Espagnols et les Portugais aux environs du XVIᵉ siècle.

🌿 Avec la glycérine de pepsine, c'était autrefois un remède traditionnel contre la dyspepsie (indigestion, brûlures d'estomac, nausées).

🌿 L'industrie du fruit et du jus est née aux Antilles au XIXᵉ siècle. Aujourd'hui, le citron vert entre dans la composition de sodas au cola et au gingembre.

USAGE DOMESTIQUE

• Fait tomber la fièvre, surtout si elle est accompagnée de toux, de frissons et d'une irritation de la gorge.
• L'huile soulage congestions pulmonaires, sinusites et catarrhes.
• Tonique du système immunitaire, elle permet de retrouver son tonus après une maladie.
• Stimulant digestif, elle accélère la sécrétion des sucs digestifs.

• Ses facultés désinfectantes et reconstituantes atténuent les effets de l'alcoolisme.
• Soulage les douleurs rhumatismales et l'arthrite.
• Décongestionne les varices et facilite une bonne circulation.
• Excellente dans un bon bain chaud en hiver, rafraîchissante et stimulante pendant les mois d'été.

CI-DESSUS Au XVIIᵉ siècle, les marins anglais mangeaient des citrons verts pour se protéger du scorbut.

NOTES MÉDICALES

EFFETS SUR LA PEAU
• Astringente, tonique et rafraîchissante, surtout sur les peaux grasses.
• Arrête les saignements des coupures et des blessures (à appliquer en compresses et non directement sur la peau).

USAGES PSYCHOLOGIQUES ET ÉMOTIONNELS
• Très stimulante, surtout en cas d'apathie, d'anxiété et de dépression.
• Rafraîchit et revigore en cas de déprime.

CI-DESSOUS Au XVIᵉ siècle, les navigateurs portugais (représentés ici avec un astrolabe), introduisirent le citron vert en Amérique.

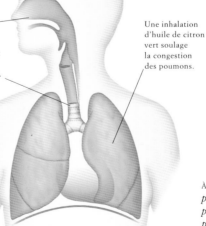

L'huile de citron vert atténue les effets de la sinusite.

L'huile de citron vert soulage catarrhe et irritation de la gorge.

Une inhalation d'huile de citron vert soulage la congestion des poumons.

À GAUCHE Le citron vert, particulièrement bénéfique pour le système respiratoire, permet de soulager bronchite, catarrhe et asthme.

Néroli

CITRUS AURANTIUM

Une princesse italienne a donné son nom à l'huile de néroli, tirée des fleurs de l'oranger amer, dont on faisait autrefois des bouquets pour apaiser les jeunes mariées. Appréciée pour son odeur agréable et son action sur les problèmes cutanés, elle est utilisée en cosmétique et en parfumerie.

FRUIT DE L'ORANGER AMER

CI-DESSUS *Les fruits du bigaradier, ou oranger amer, sont à la fois plus petits et plus foncés que ceux des orangers.*

Description générale

Arbre à feuilles persistantes d'un vert foncé brillant, aux fleurs blanches et aux fruits orange vif odorants, l'oranger produit trois huiles essentielles : le néroli tiré de la fleur, l'orange qui vient du fruit et le petit-grain produit à partir des feuilles et brindilles. Cette dernière possède des qualités analogues à celles de l'huile de néroli mais n'est pas aussi raffinée. L'huile d'orange a des propriétés similaires à celles des autres huiles d'agrumes, notamment le citron et la mandarine.

Attributs et caractéristiques

Antidépresseur, aphrodisiaque et hypnotique, l'huile de néroli détend les nerfs (surtout en période de stress).

À DROITE *Les fleurs blanches aromatiques contrastent avec les feuilles brillantes vert foncé.*

PROPRIÉTÉS

Nom de famille **RUTACÉES**

Méthode d'extraction
Distillation à la vapeur d'eau des pétales de fleurs d'oranger. Au cours de ce même processus, on obtient une eau florale et un absolu. L'extraction par solvant donne un concret et un absolu. L'huile de néroli est aussi produite par enfleurage.

Composants chimiques
Phénylacétique (acide) ; nérol, géraniol, linalol, nérolidol, terpinéol (alcools) ; acétate lynalyle, anthranilate méthyle, acétate néryle (esters) ; jasmone (cétone) ; camphène, limonène (terpènes).

Note
Entre de cœur et de fond.

Arôme
Entêtant, sucré et floral, légèrement fruité.

Propriétés
Antidépressive, antiseptique, antispasmodique, aphrodisiaque, bactéricide, carminative, cicatrisante, cordiale, cytophylactique, déodorante, digestive, émolliente, fongicide ; hypnotique (léger), stimulant (nerveux), tonique.

Mélanges
Bergamote, bois de santal, camomille romaine, citron, citron vert, géranium, jasmin, lavande, myrrhe, oliban, romarin, rose, sauge sclarée, ylang-ylang.

Répartition géographique
France, Maroc, Portugal, Italie. L'oranger est originaire de Chine.

UTILISATION À TRAVERS LES ÂGES

⚜ Cette huile doit son nom à la princesse italienne Anne Marie de Nerola, qui aimait s'en parfumer.

⚜ Les propriétés de l'huile de néroli sont restées ignorées jusqu'au XVIᵉ siècle, même si les effets thérapeutiques de l'orange sont reconnus depuis le premier siècle de notre ère.

⚜ À Venise, l'oranger amer était très apprécié pour sa capacité à combattre la peste et les fièvres. On le buvait aussi en infusion contre la nervosité.

⚜ En Chine, les pétales entraient dans la fabrication des cosmétiques. C'était également, avec la bergamote, le citron, la lavande et le romarin, un des ingrédients utilisés dans la fabrication de l'eau de Cologne, qui servait à dissiper les vapeurs.

⚜ Traditionnellement, ses fleurs blanches, symboles de pureté, sont utilisées dans les bouquets de mariée, à la fois pour leur beauté et pour calmer la nervosité de la jeune épouse.

À DROITE *Les Chinois utilisaient les pétales d'oranger amer pour fabriquer des cosmétiques.*

USAGE DOMESTIQUE

• Régulateur cardiaque, l'huile calme les palpitations et purifie le sang.
• Améliore la circulation.
• Agit positivement sur le système nerveux sympathique et apporte un sommeil réparateur.
• Aphrodisiaque, elle dissipe l'anxiété.
• Soulage les douleurs prémenstruelles et l'angoisse, ainsi que l'irritabilité et les crises de larmes qui accompagnent parfois la ménopause.
• Antispasmodique intestinal, elle améliore le transit du côlon, apaise les diarrhées et la dyspepsie d'origine nerveuse.
• Soulage névralgies et maux de tête.

CONSEIL
Non toxique, non irritante et non sensibilisante. Très relaxante.

À GAUCHE *Les Vénitiens se servaient de l'oranger amer pour combattre la peste et les fièvres.*

NOTES MÉDICALES

EFFETS SUR LA PEAU
• Régénère les cellules du derme et en améliore l'élasticité (surtout des peaux sèches, sensibles et âgées).
• Efficace sur l'acné, les veines variqueuses, les cicatrices et les vergetures.

USAGES PSYCHOLOGIQUES ET ÉMOTIONNELS
• Tranquillisant naturel, hypnotique et euphorisant.
• Soulage l'anxiété chronique, la dépression et le stress ; calme l'hystérie, les chocs psychologiques et la panique ; apporte un sentiment de paix.

• Redonne tonus et confiance en soi, et combat l'apathie.

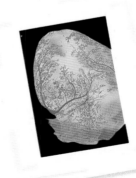

CI-DESSUS *Employez l'huile de néroli pour purifier le sang et réguler le rythme cardiaque.*

Bergamote

CITRUS BERGAMIA

HUILE DE BERGAMOTE

Traditionnellement utilisée dans la médecine populaire italienne, la bergamote tient son nom de la ville de Bergame en Lombardie. L'huile essentielle est particulièrement efficace dans le traitement des infections buccales et cutanées, des voies respiratoires et urinaires ; elle peut aussi servir à réguler l'appétit.

CI-DESSUS *Semblable à une orange miniature, la bergamote jaunit en mûrissant.*

Description générale

Ce petit arbre aux longues feuilles vertes, lisses et ovales, et aux fleurs blanches, donne de petits fruits ronds qui, en mûrissant, passent du vert au jaune. À ne pas confondre avec la plante décorative *Monarda didyma*, parfois aussi appelée bergamote.

Attributs et caractéristiques

Antidépresseur, antiseptique, apaisant, dynamisant, équilibrant, rafraîchissant, calmant (système nerveux) ; éloigne les insectes.

PROPRIÉTÉS

Nom de famille RUTACÉES

Méthode d'extraction
Expression à froid de la peau du fruit.

Composants chimiques
Linalol, nérol, terpinéol (alcools) ; acétate lynalyle (ester) ; bergaptène (lactone) ; dipentène, limonène (terpènes).

Note
De tête.

Arôme
Odeur délicatement épicée. Légère et rafraîchissante.

Propriétés
Analgésique, antidépressive, antiseptique, antispasmodique, carminative, cicatrisante, cordiale, déodorante, digestive, expectorante, fébrifuge, insecticide, sédative, stomachique, tonique, vermifuge, vulnéraire.

Mélanges
Camomille romaine, citron, cyprès, eucalyptus, genévrier, géranium, jasmin, lavande, mandarine/tangerine, marjolaine, néroli, patchouli, ylang-ylang.

À DROITE *Pouvant atteindre jusqu'à 4,5 mètres de haut, l'arbre présente des feuilles lisses et ovales.*

Répartition géographique
Italie, Maroc, Côte-d'Ivoire. Originaire d'Asie tropicale.

AVERTISSEMENT

Les expositions à une lumière vive et les bains de soleil sont déconseillés après application de cette huile sur la peau, car elle augmente la photosensibilité. On peut acheter une huile de bergamote débarrassée des agents responsables de cette réaction.

UTILISATION À TRAVERS LES ÂGES

❧ L'arbre doit son nom à la ville italienne de Bergame, où il était cultivé à l'origine. La légende raconte que Christophe Colomb le rapporta des îles Canaries et l'introduisit en Espagne puis en Italie.

❧ La bergamote parfume le thé Earl Grey (mais il est déconseillé de tenter de créer ce mélange chez soi) et entre dans la composition de l'eau de Cologne.

❧ Dans les rites vaudous, l'essence de bergamote est utilisée pour se protéger du diable et pour oindre les participants aux rituels initiatiques.

CI-DESSUS *Christophe Colomb aurait importé le bergamotier en Espagne et en Italie.*

NOTES MÉDICALES

EFFETS SUR LA PEAU

• Autrefois utilisée dans certaines lotions solaires, on sait aujourd'hui qu'elle peut provoquer une pigmentation foncée sur une peau exposée directement au soleil.

• Nettoie les peaux grasses, surtout si ce problème est lié au stress.

• Recommandée pour l'acné, l'eczéma, le psoriasis, la gale, les ulcères variqueux et la séborrhée de la peau et du cuir chevelu.

USAGES PSYCHOLOGIQUES ET ÉMOTIONNELS

• L'huile a un effet apaisant sur le système nerveux.

• Son arôme éveille l'esprit.

• Équilibrant naturel, l'huile dissipe l'anxiété, la dépression et l'irritabilité.

• Douce et rafraîchissante, elle augmente la réceptivité du cerveau à la lumière.

• Elle s'avère très bénéfique si vous êtes affaibli et épuisé, ou en convalescence après une maladie psychologique ou physique.

AVERTISSEMENT

Fortement concentrée, l'huile de bergamote risque d'irriter les peaux sensibles, mais très diluée, elle a au contraire un effet positif.

USAGE DOMESTIQUE

• Affinité avec les voies urinaires : efficace contre la cystite et autres infections de la vessie, surtout si elle est utilisée en association avec la camomille romaine, en compresses ou en applications locales.

• Soulage indigestions, flatulences, hémorroïdes, dyspepsie et coliques douloureuses.

• Régulateur de l'appétit.

• Réduit à la fois l'activité du virus de l'herpès simplex, à l'origine des boutons de fièvre, et celle du virus de l'herpès zoster, à l'origine de la varicelle et du zona.

• Soulage les problèmes respiratoires comme la bronchite.

• Également efficace pour éloigner les insectes.

CI-DESSUS *Le très célèbre thé Earl Grey est parfumé à la bergamote, qui lui donne sa saveur particulière.*

CI-DESSUS *La bergamote est l'un des ingrédients de l'eau de Cologne.*

Citron

CITRUS LIMON

HUILE DE CITRON

ZESTE
DE CITRON

Le citron, riche en vitamine C, est particulièrement efficace dans la prévention et le traitement des maladies infectieuses, surtout les fièvres et les coups de froid. Il est aussi largement utilisé pour son odeur rafraîchissante, dans les savons, les cosmétiques et les parfums.

CI-DESSUS *Originaires d'Asie, les citronniers sont désormais cultivés partout dans le monde pour leurs fruits.*

PROPRIÉTÉS

Nom de famille RUTACÉES

Méthode d'extraction
Expression du fruit et du zeste.

Composants chimiques
Linalol (alcool) ; citral, citronellal (aldéhydes) ; cadinène (sesquiterpène) ; bisabolène, camphène, dipentène, limonène, phellandrène, pinène (terpènes).

Note
De tête.

Arôme
Éclatant, frais et vif.

Propriétés
Antianémique, antimicrobienne, antinévralgique, antipruritique, antirhumatismale, antisclérotique, antiscorbutique, antiseptique, antitoxique, astringente, bactéricide, carminative, cicatrisante, dépurative, diurétique, émolliente, escharotique, fébrifuge, hémostatique, hépatique, hypoglycémiante, hypotenseur, insecticide, laxative, rubéfiante, stimulante, stomachique, tonique, vermifuge.

Mélanges
Bois de santal, camomille romaine, eucalyptus, fenouil, genévrier, géranium, gingembre, lavande, néroli, oliban, rose, ylang-ylang.

Description générale

C'est un arbre à feuilles persistantes vernissées, aux fleurs parfumées roses et blanches et au fruit d'un jaune éclatant.

Attributs et caractéristiques

Antiseptique, céphalique, rafraîchissant, revigorant, tonique des systèmes nerveux et circulatoire.

À DROITE *L'écorce et le jus du citron sont largement utilisés pour leur fragrance et leur richesse en vitamines.*

Répartition géographique
Sud de l'Europe, États-Unis, Argentine. Originaire d'Inde.

UTILISATION À TRAVERS LES ÂGES

Les Égyptiens utilisaient l'huile de citron en antidote aux intoxications alimentaires provoquées par le poisson ou la viande.

On pensait autrefois qu'elle pouvait soigner la malaria et le typhus et on l'employait pour parfumer les vêtements et éloigner les insectes.

Au XVIIᵉ siècle, le fruit était embarqué à bord des navires de la Royal Navy pour prévenir le scorbut (carence en vitamine C) chez les marins anglais.

Au Japon, des recherches ont montré que l'inhalation d'huile de citron pouvait améliorer les capacités de concentration chez certains individus.

Elle est désormais utilisée dans les hôpitaux pour ses propriétés antiseptiques et sa faculté à neutraliser les mauvaises odeurs.

La recherche médicale a établi qu'elle pouvait aider les patients anxieux ou dépressifs.

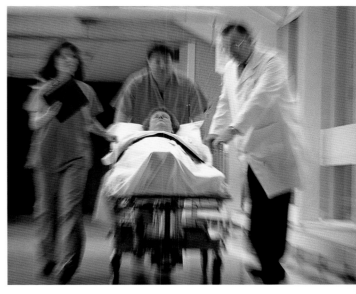

CI-DESSUS *Les produits à base d'huile de citron sont utilisés dans les hôpitaux pour leurs qualités antiseptiques et aromatiques.*

USAGE DOMESTIQUE

• Tonique cardiaque et circulatoire : peut abaisser la pression sanguine.
• Soulage les veines variqueuses et l'artériosclérose.
• Stimule la production des globules rouges et blancs, soigne l'anémie et dynamise le système immunitaire.
• En inhalation, elle contribue à arrêter les saignements de nez.
• Facilite la digestion et atténue les acidités gastriques.
• Purifie et stimule les reins et le foie.

• Soulage la constipation, combat l'obésité due à une mauvaise élimination de l'organisme et aide à effacer la cellulite.
• Équilibre les problèmes d'acidité et soulage ulcères, goutte et arthrose.
• Soigne toux, coups de froid et grippes, surtout quand ils s'accompagnent de fièvre : le citron abaisse la température du corps.
• Efficace pour éloigner les insectes.

À DROITE *L'huile de citron stimule le système immunitaire et la production de nouveaux globules dans le sang.*

NOTES MÉDICALES

EFFETS SUR LA PEAU

• Illumine les teints ternes en éliminant les cellules mortes.
• Décolorant doux.
• Bon nettoyant des peaux et cheveux gras, efficace contre les pellicules.
• Assouplit le tissu cicatriciel et durcit les ongles.
• Efficace sur les verrues, les cors et les callosités. On peut appliquer l'huile de citron pure sur la zone affectée, mais il faut veiller à ne pas déborder sur la peau alentour.

USAGES PSYCHOLOGIQUES ET ÉMOTIONNELS

• À la fois rafraîchissante et apaisante.
• Purifie, rafraîchit et stimule l'esprit, combat l'apathie et dissipe les troubles émotionnels.
• Efficace contre le syndrome prémenstruel et le stress.

AVERTISSEMENT

Peut irriter les peaux sensibles : dans ce cas, utilisez l'huile très diluée. Mieux vaut éviter une exposition directe au soleil après application, car elle peut provoquer une légère réaction phototoxique.

Pamplemousse

CITRUS PARADISI

HUILE DE
PAMPLEMOUSSE

À l'instar des autres agrumes, le pamplemousse est riche en vitamine C et souvent employé dans le traitement des coups de froid et de la grippe. Ses qualités toniques et vivifiantes se retrouvent dans l'huile : diffusée dans un brûleur, elle permet de lutter contre la dépression ou l'épuisement nerveux.

CI-DESSUS *Des grappes de gros fruits jaunes pendent des arbres dans ce verger californien.*

PROPRIÉTÉS

Nom de famille RUTACÉES

Méthode d'extraction
Expression à froid du zeste frais. Certaines huiles sont distillées avec ce qui reste de la première pression, mais elles sont de qualité inférieure.

Composants chimiques
Géraniol, linalol (alcools) ; citral (aldéhyde) ; limonène, pinène (terpènes).

Note
De tête.

Arôme
Sucré, vif et rafraîchissant.

Propriétés
Antidépressive, antiseptique, antitoxique, apéritive, astringente, bactéricide, dépurative, désinfectante, diurétique, résolutive ; stimulant (lymphatique, digestif), tonique.

Mélanges
Basilic commun, bergamote, bois de rose, camomille romaine, cèdre de l'Atlas, citron, géranium, jasmin, lavande, néroli, oliban, romarin, rose, ylang-ylang.

Description générale
Arbre de culture aux feuilles brillantes, aux fleurs blanches et aux gros fruits jaunes disposés en grappes sur les branches.

Attributs et caractéristiques
Antiseptique, diurétique, purifiant, tonique du système nerveux central et du système nerveux sympathique.

Répartition géographique
Israël, Brésil, Californie, Floride. Originaire d'Asie tropicale et des Antilles.

À DROITE *La Californie fournit l'essentiel de la récolte mondiale de pamplemousse.*

NOTES MÉDICALES

EFFETS

SUR LA PEAU

• Nettoie l'acné et les peaux congestionnées ou huileuses.
• Favorise la repousse des cheveux et tonifie la peau et les tissus.

USAGES PSYCHOLOGIQUES ET ÉMOTIONNELS

• Tonique et vivifiante, cette huile est efficace dans un brûleur pour lutter contre le stress, la dépression et l'épuisement nerveux.
• Peut être à la fois euphorisante et hypnotique.
• C'est un équilibrant du système nerveux central, utilisé pour stabiliser la psychose maniaco-dépressive.
• Soulage les céphalées et permet d'affronter le trac.

CI-DESSUS *La culture du pamplemousse a été introduite aux Antilles au XVIIIe siècle.*

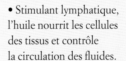

CI-DESSOUS *L'huile de pamplemousse est stimulante et revigorante.*

CONSEIL

Non toxique, non irritante, non sensibilisante. Ne se conserve pas longtemps en flacon : assurez-vous que le bouchon est bien vissé.

UTILISATION À TRAVERS LES ÂGES

Originaire d'Asie, cet arbre est aujourd'hui couramment cultivé autour de la Méditerranée.

La légende prétend qu'il fut d'abord cultivé aux Antilles au XVIIIe siècle, où on le baptisa Shaddock, du nom du capitaine qui l'y apporta.

Les États-Unis ont développé la culture industrielle du pamplemousse dans les années 1930, et restent le premier producteur mondial.

USAGE DOMESTIQUE

• Stimulant lymphatique, l'huile nourrit les cellules des tissus et contrôle la circulation des fluides.
• Agit positivement sur l'obésité et la rétention d'eau. Ses propriétés diurétiques, contribuent à l'élimination de la cellulite.
• Efficace pour l'échauffement physique, la fatigue et les raideurs musculaires ; l'huile stimule la sécrétion biliaire et facilite la digestion des graisses et peut-être la perte de poids (à employer toujours en usage externe).
• Stimule l'appétit et régule le système digestif.
• Nettoie les reins et le système vasculaire ; tonifie le foie.

• Soutient l'organisme pendant une cure de désintoxication.
• Efficace contre les effets du décalage horaire, car elle atténue les céphalées et la fatigue.
• Effet apaisant sur tout le corps ; soulage les migraines, le syndrome prémenstruel et les malaises liés à la grossesse.
• Aide le système immunitaire à lutter contre les coups de froid et la grippe.
• Utilisée dans un brûleur, cette huile est particulièrement efficace pour purifier l'air.

Mandarine/tangerine

CITRUS RETICULATA

HUILE
DE MANDARINE

La mandarine tient son nom des mandarins chinois à qui elle était traditionnellement offerte en cadeau. Non toxique et non irritante, cette huile est considérée comme un remède efficace contre les indigestions infantiles. On peut aussi la conseiller aux personnes âgées pour renforcer le système digestif.

QUARTIERS
DE MANDARINE

CI-DESSUS *Mandariniers et tangeriniers ont les mêmes origines botaniques et fleurissent sous des climats chauds.*

PROPRIÉTÉS

Nom de famille RUTACÉES

Méthode d'extraction
Expression du zeste.

Composants chimiques
Limonène (terpène) et citral (aldéhyde) sont communs aux deux.
Mandarine : géraniol (alcool) ; citronellal (aldéhyde) ; anthranilate méthyle (ester).
Tangerine : citronellol, linalol (alcools) ; cadinène (sesquiterpène).

Note
De tête.

Arôme
Sucré, léger et piquant. L'huile de mandarine comporte des notes florales.

Propriétés
Antiseptique, antispasmodique, carminative, cholagogue, cytophylactique, digestive, diurétique (doux), sédative ; stimulant (digestif et lymphatique), tonique.

Mélanges
Basilic commun, bergamote, camomille romaine, citron, lavande, marjolaine, néroli pamplemousse, ylang-ylang.

Description générale

Les tangerines sont issues d'une étape antérieure du développement horticole du fruit et poussent sur de petits arbres à feuilles persistantes brillantes et aux fleurs parfumées. La tangerine moderne ressemble davantage à la mandarine chinoise originelle, mais elle est plus grosse, plus ronde, et sa peau est plus jaune.

Attributs et caractéristiques

Apéritif, stimulant, purifiant, équilibrant, tonique léger du foie et de la digestion. L'huile de mandarine est le remède le plus sûr contre les indigestions infantiles. Parce qu'elle est très douce, c'est aussi la première huile à appliquer sur la peau de votre enfant, mais toujours très diluée.

À DROITE *À la différence de la mandarine, la tangerine n'a pas de pépins.*

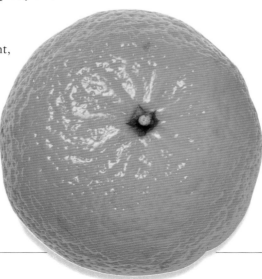

Répartition géographique
Mandarine : Italie, Espagne, Algérie, Chypre, Moyen-Orient, Brésil.
Tangerine : Texas, Floride, Californie, Guinée.

UTILISATION À TRAVERS LES ÂGES

CI-DESSUS *La mandarine doit son nom aux mandarins chinois, à qui elle était offerte.*

✿ Les hauts fonctionnaires chinois étaient appelés mandarins et les fruits qui leur étaient traditionnellement offerts en signe de respect reçurent le nom de mandarines.

✿ La mandarine fut introduite en Europe en 1805. Quarante ans plus tard, elle arriva en Amérique où elle fut rebaptisée tangerine, parce qu'elle était importée de Tanger, au Maroc.

✿ Mandarine, tangerine et satsuma sont souvent confondues, mais les huiles produites à partir de ces fruits sont assez différentes les unes des autres.

CONSEIL

On peut utiliser la mandarine et la tangerine en toute sécurité au cours de la grossesse. On prétend que l'huile de mandarine est indiquée le matin, et celle de tangerine, le soir. Ces deux huiles peuvent être légèrement phototoxiques, mais cela n'a pas été formellement prouvé.

USAGE DOMESTIQUE

• Les huiles de mandarine et de tangerine aident à retrouver l'appétit, surtout après une dépression.
• Elles stimulent aussi le foie et régulent le métabolisme. Elles favorisent la sécrétion de la bile et la combustion des graisses.
• Efficaces contre la rétention d'eau et la cellulite.
• Calment les désordres intestinaux.

• Revitalisantes et fortifiantes, elles améliorent la circulation périphérique.
• Efficaces contre l'insomnie.
• Mélangées à d'autres huiles, elles soulagent le syndrome prémenstruel.
• Les huiles de mandarine et de tangerine, bien que légères, ont un effet puissant en synergie avec d'autres huiles.

CI-DESSOUS *Pour un sommeil réparateur, ajoutez quelques gouttes d'huile de mandarine ou de tangerine à votre bain.*

NOTES MÉDICALES

EFFETS SUR LA PEAU
• Ces deux huiles atténuent vergetures et cicatrices, surtout quand elles sont associées au néroli et à la lavande.
• Tonifient la peau et facilitent la guérison des cicatrices et des taveleures. Également efficaces sur l'acné et les peaux congestionnées ou grasses.

USAGES PSYCHOLOGIQUES ET ÉMOTIONNELS
• Revigorantes et revitalisantes, elles chassent la dépression et l'anxiété.
• Toniques efficaces pour les convalescents.
• La tangerine est hypnotique et apaise le système nerveux central.

Myrrhe

COMMIPHORA MYRRHA

Le nom vient du mot arabe murr, *qui signifie « amer ». On l'utilise depuis au moins 3 000 ans et on la reconnaît à son parfum puissant. Elle permet de traiter asthme, coups de froid, catarrhes et irritations de la gorge. La myrrhe peut également soigner diverses affections cutanées, parmi lesquelles la teigne et l'eczéma.*

HUILE DE MYRRH

CI-DESSUS *Le buisson de myrrhe est originaire du Nord-Est de l'Afrique, d'Inde et du Moyen-Orient.*

Description générale

Buisson ou petit arbre (jusqu'à 10 mètres), aux branches noueuses portant des feuilles aromatiques et de petites fleurs blanches.

Attributs et caractéristiques

Apaisant, curatif, purifiant, revitalisant, roboratif.

PROPRIÉTÉS

Nom de famille **BURSERACÉES**

Méthode d'extraction
Distillation à la vapeur d'eau de la résine huileuse, extraite du tronc, des tiges et des branches.

Composants chimiques
Myrrholique (acide) ; cinnamique, cuminique (aldéhydes) ; eugénol (phénol) ; cadinène (sesquiterpène) ; dipentène, heerabolène, limonène, pinène (terpènes).

Note
De fond.

Arôme
Chaud, amer et moisi.

Propriétés
Anticatarrhale, anti-inflammatoire, antimicrobienne, antiphylogistique, antiseptique, astringente, balsamique, carminative, cicatrisante, déodorante, désinfectante, diurétique, emménagogue, expectorante, fongicide, stimulante, stomachique, sudorifique, tonique, utérine, vulnéraire.

Mélanges
Arbre à thé, bois de santal, cyprès, genévrier, géranium, lavande, mandarine/tangerine, oliban, patchouli, pin sylvestre, vétiver.

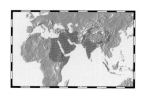

Répartition géographique
Moyen-Orient, Inde, Nord-Est de l'Afrique.

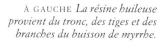

À GAUCHE *La résine huileuse provient du tronc, des tiges et des branches du buisson de myrrhe.*

UTILISATION À TRAVERS LES ÂGES

🦋 Les Védas et le Coran font état de l'utilisation religieuse et thérapeutique de la myrrhe.

🦋 La myrrhe est aussi citée dans la Bible. Offerte par les Rois mages à l'Enfant Jésus, elle était également présente lors de la Crucifixion, et est évoquée dans le Cantique de Salomon.

🦋 Les Égyptiens brûlaient chaque jour de la myrrhe à l'occasion du culte rendu au dieu soleil. Ils s'en servaient aussi pour soigner l'herpès et le rhume des foins, et en remplissaient l'estomac des morts qu'ils momifiaient.

🦋 Selon la mythologie grecque, la déesse Aphrodite transforma Myrrha, la fille du roi de Chypre coupable d'inceste, en buisson.

🦋 Les soldats grecs emportaient au combat une fiole de myrrhe : ses vertus antiseptiques et anti-inflammatoires la destinaient au nettoyage des blessures.

🦋 Elle est toujours utilisée dans la médecine tibétaine traditionnelle pour surmonter le stress et les troubles nerveux.

🦋 On l'utilise en Chine pour soigner arthrose, problèmes menstruels, plaies et hémorroïdes.

NOTES MÉDICALES

EFFETS SUR LA PEAU

• Grâce à ses propriétés antiseptiques, elle peut ralentir la propagation de la gangrène.

• Action rafraîchissante qui peut soulager ulcères, écorchures, blessures, et apaiser les peaux sèches et gercées.

• Résorbe l'eczéma, les mycoses plantaires et la teigne.

• Peut régénérer les peaux âgées et atténuer les rides.

USAGES PSYCHOLOGIQUES ET ÉMOTIONNELS

• Aide à surmonter les sentiments de faiblesse, d'apathie et le manque de motivation.

• En cas d'émotions fortes.

• Tout comme l'oliban, elle a un effet légèrement calmant sur le système nerveux et aide à retrouver la paix et la tranquillité de l'esprit.

AVERTISSEMENT

Mieux vaut éviter cette huile pendant la grossesse. À ne pas utiliser très concentrée.

À DROITE *Les soldats grecs utilisaient la myrrhe pour nettoyer les blessures reçues au combat.*

CI-DESSOUS *La myrrhe est un excellent remède pour soigner les irritations de la gorge et les pharyngites.*

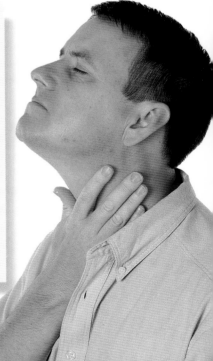

USAGE DOMESTIQUE

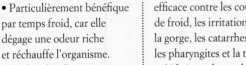

• Particulièrement bénéfique par temps froid, car elle dégage une odeur riche et réchauffe l'organisme.

• Soulage les rhumatismes.

• Elle assèche les excès de fluide.

• Excellente pour dégager les voies respiratoires :

efficace contre les coups de froid, les irritations de la gorge, les catarrhes, les pharyngites et la toux.

• Aide à combattre la mononucléose infectieuse et soulage l'asthme, les bronchites et les extinctions de voix.

• Combat les infections virales.

• Bénéfique pour certains problèmes gynécologiques (muguet, règles insuffisantes).

• Apaise et stimule le système digestif et ouvre l'appétit.

• Stimule les globules blancs et tonifie le système immunitaire.

Cyprès

CUPRESSUS SEMPERVIRENS

Considéré comme sacré par les Égyptiens et les Romains, le cyprès est toujours employé comme encens purificateur par les Tibétains. On l'utilise également pour réguler la production des fluides corporels, surtout les diarrhées ou les règles trop abondantes. Grâce à ses vertus apaisantes, son huile est indiquée en période de stress.

CÔNES DE CYPRÈS

CI-DESSUS *Le cyprès est un grand arbre à feuilles persistantes, qui pousse désormais dans toute l'Europe.*

PROPRIÉTÉS

Nom de famille **CUPRESSACÉS**

Méthode d'extraction
Distillation à la vapeur d'eau des feuilles ou aiguilles fraîches, brindilles et cônes. Le processus permet aussi d'obtenir une petite quantité d'absolu et de concret.

Composants chimiques
Sabinol (alcool) ; furfurol (aldéhyde) ; acétate terpényle (ester) ; camphène, cymène, pinène, sylvestrène (terpènes).

Note
Entre de cœur et de fond.

Arôme
Une odeur pure, rafraîchissante et tenace.

Propriétés
Antirhumatismale, antiseptique, antispasmodique, antisudorifique, astringente, cicatrisante, déodorante, diurétique, fébrifuge, hémostatique, hépatique, insecticide, revigorante, sédative, styptique, tonique, vasoconstricteur.

Mélanges
Bergamote, bois de santal, camomille romaine, citron, genévrier, lavande, mandarine/tangerine, marjolaine, romarin, sauge sclarée.

Description générale

Grand arbre conique à feuilles persistantes, dont le bois dur est brun-rouge et les cônes ou pommes de cyprès brun-gris.

Attributs et caractéristiques

Antiseptique, purifiant, rafraîchissant, réchauffant, réconfortant.

À DROITE *L'huile essentielle est extraite des aiguilles, des brindilles et des cônes.*

Répartition géographique
Originaire du pourtour méditerranéen, il pousse désormais partout en Europe ; il est surtout cultivé et distillé dans les pays du Sud.

UTILISATION À TRAVERS LES ÂGES

🌿 Selon la légende, la croix du Christ aurait été en bois de cyprès.

🌿 Grecs et Romains plantaient des cyprès dans leurs cimetières.

🌿 Avec le bois, les Égyptiens fabriquaient des cercueils. Ils l'utilisaient aussi pour ses vertus médicales. Comme plus tard les Romains, ils avaient dédié l'arbre à leurs dieux de la mort et des enfers.

🌿 *Sempervirens* signifie « éternel », même si l'arbre est parfois surnommé « arbre de la mort ».

🌿 Au Tibet, on le brûle toujours comme un encens purificateur.

🌿 Dans la tradition de la magie occidentale, les objets rituels sont purifiés et consacrés par sa fumée.

CI-DESSUS *Les anciens Égyptiens dédiaient le cyprès, symbole de l'immortalité, à leur dieu de la mort.*

AVERTISSEMENT
Évitez l'huile pendant la grossesse, car elle peut avoir un effet sur le cycle menstruel. Faites très attention si vous l'appliquez en dilution sur des varicosités : ne pratiquez jamais de massage directement sur ou en-dessous des veines, car la plus légère pression peut être dangereuse.

NOTES MÉDICALES

EFFETS SUR LA PEAU
• Bénéfique contre le vieillissement de la peau, car elle équilibre la perte en eau.
• Aide à réguler une sudation excessive, convient bien aux peaux grasses et favorise la guérison des blessures.

USAGES PSYCHOLOGIQUES ET ÉMOTIONNELS
• Les personnes trop bavardes profitent de ses vertus apaisantes, qui peuvent aussi calmer l'irritabilité.
• Efficace en période de transition et de stress : changement de carrière, déménagement, deuil ou rupture.

CI-DESSUS *Utilisez l'huile de cyprès dans un diffuseur pour calmer les enfants nerveux ou pour dégager les voies respiratoires.*

USAGE DOMESTIQUE

    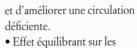 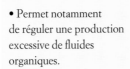

• Permet notamment de réguler une production excessive de fluides organiques.
• Efficace contre les saignements de nez, l'œdème, l'incontinence, une transpiration inhabituellement excessive et des règles douloureuses et abondantes.

• Permet de chasser la cellulite et d'améliorer une circulation déficiente.
• Effet équilibrant sur les organes de reproduction féminins ; soulage les problèmes liés à la ménopause.
• Bénéfique pour les varices, les veines variqueuses et les hémorroïdes.
• Tonique de la circulation, elle chasse les bouffées de chaleur.

• Antispasmodique, elle apaise les toux convulsives et celles qui accompagnent la grippe et les bronchites.
• Dans un diffuseur, elle est particulièrement utile pour les enfants à cause de ses vertus apaisantes et rassurantes et de son action sur les voies respiratoires.
• Éloigne les insectes.

Lemon-grass

CYMBOPOGON CITRATUS

HUILE DE LEMON-GRASS

*Le lemon-grass, ou jonc odorant, est utilisé dans la médecine
indienne traditionnelle pour soigner les maladies infectieuses et faire
tomber la fièvre. Hommes et animaux profitent de son pouvoir
insecticide. C'est aussi un stimulant digestif et une herbe aromatique.*

CI-DESSUS *Le lemon-grass aux feuilles
hardiment pointées, apprécie la moiteur tropicale
et peut atteindre près de 2 mètres de haut.*

Description générale

Haute plante aromatique à croissance rapide,
elle épuise vite les éléments nutritionnels du sol
dans lequel elle pousse.

Attributs et caractéristiques

Antidépresseur, antiseptique, revigorant,
stimulant, tonique.

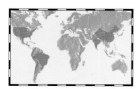

Répartition géographique

Inde, États-Unis, Brésil,
Sri Lanka, Chine, Antilles.

PROPRIÉTÉS

Nom de famille POACÉES (GRAMINÉES)

Méthode d'extraction
*Distillation à la vapeur d'eau
de l'herbe finement hachée.*

Composants chimiques
*Farnésol, géraniol, nérol
(alcools) ; citral, citronellal
(aldéhydes) ; limonène,
myrcène (terpènes).*

Note
De tête.

Arôme
*Citronné, avec des notes
riches.*

Propriétés
*Analgésique, antidépressive,
antimicrobienne, antioxydante,
antipyrétique, antiseptique,
astringente, bactéricide,
carminative, déodorante,
digestive, diurétique, fébrifuge,
fongicide, galactagogue,
insecticide, nervine,
prophylactique ; calmant
(nerveux), stimulante, tonique.*

Mélanges
*Achillée millefeuille, arbre à
thé, basilic commun,
bergamote, camomille
romaine, cèdre de l'Atlas,
eucalyptus, genévrier,
géranium, gingembre, jasmin,
lavande, myrrhe, néroli,
niaouli, patchouli, romarin.*

À GAUCHE *Les feuilles
du lemon-grass sont longues,
fines et pointues. Elles dégagent
une odeur fortement citronnée.*

UTILISATION À TRAVERS LES ÂGES

🐝 Huile très appréciée dans la médecine indienne traditionnelle pour faire tomber la fièvre, enrayer les maladies infectieuses et le développement de tumeurs.

🐝 Parfois connue sous le nom de verveine indienne et d'huile de mélisse indienne.

🐝 Elle était aussi couramment utilisée pour soigner les affections cutanées et tuer les microbes.

🐝 En Inde, des recherches récentes ont démontré qu'elle a un effet calmant sur le système nerveux central. Ses propriétés antiseptiques et bactéricides ont été reconnues.

🐝 L'Inde en était le principal producteur jusqu'au lendemain de la Seconde Guerre mondiale, époque à laquelle elle fut détrônée par les Antilles.

🐝 L'exposition à l'air et à la lumière diminue la teneur en citral de l'huile (comprise entre 70 et 85 %).

🐝 C'est un ingrédient couramment employé dans les savons, détergents, parfums et cosmétiques, et aussi un aromate très répandu, surtout dans la cuisine thaï.

CI-DESSOUS *Le lemon-grass est un remède traditionnel de la médecine indienne.*

AVERTISSEMENT

Peut irriter les peaux sensibles : utilisez-la très diluée. Une version adultérée du lemon-grass est parfois vendue sous le nom de verveine citronnelle (*Lippia citriodora*), mais cette plante fournit une autre huile essentielle.

USAGE DOMESTIQUE

• Dynamise le système nerveux parasympathique ; tonique efficace en période de convalescence.
• Ouvre l'appétit et peut être bénéfique dans les cas de gastro-entérites, colites et indigestions, car cette huile stimule les sécrétions et les muscles moteurs de la digestion.
• Soulage veines variqueuses et engelures.
• Antiseptique puissant, elle est recommandée dans la chambre d'un malade, surtout en cas de laryngites, irritations de la gorge, fièvres et maladies infectieuses de toutes sortes.

• Élimine l'acide urique ; tonifie et soulage les muscles fatigués et douloureux.
• Permet de surmonter les effets du décalage horaire, une fatigue excessive et des céphalées.
• Son odeur éloigne les insectes et désodorise efficacement.
• Écarte les papillons de nuit.
• Peut être utilisée diluée pour protéger les animaux des mouches et des tiques.
• Peut favoriser la montée du lait chez les femmes allaitantes.

CI-DESSOUS *Servez-vous du lemon-grass pour éloigner les papillons de nuit.*

NOTES MÉDICALES

EFFETS SUR LA PEAU
• Tonifie et raffermit une peau distendue suite à une perte excessive de poids.

• Efficace contre les mycoses plantaires et autres affections fongiques.
• Rééquilibre les peaux grasses et une sudation trop abondante.

USAGES PSYCHOLOGIQUES ET ÉMOTIONNELS
• Chasse les idées noires et favorise la prise d'initiatives.
• Stimulant, revivifiant et énergisant.

• Soulage l'épuisement nerveux et les problèmes liés au stress.

Eucalyptus ou gommier bleu

EUCALYPTUS GLOBULUS

FEUILLES
D'EUCALYPTUS

L'eucalyptus possède de nombreuses vertus curatives. C'est un remède australien traditionnel utilisé pour soigner les affections respiratoires. Il est particulièrement efficace dans le traitement des brûlures, ampoules et morsures d'insectes. On s'en sert également pour traiter certaines maladies tropicales telles que malaria, typhoïde et choléra.

CI-DESSUS *Une fois adultes,
les eucalyptus se couvrent de charmantes
fleurs d'un blanc crémeux.*

PROPRIÉTÉS

Nom de famille **MYRTACÉES**

Méthode d'extraction
Distillation à la vapeur d'eau des feuilles fraîches ou partiellement sèches et des brindilles du gommier bleu.

Composants chimiques
Citronellal (aldéhyde) ; cinéole (cétone) ; camphène, fenchène, phellandrène, pinène (terpènes).

Note
De tête.

Arôme
Pur, vif et perçant. L'huile dégage une odeur camphrée caractéristique, avec une note plus douce, qui dégage les sinus.

Propriétés
Analgésique, antinévralgique, antiphylogistique, antirhumatismale, antiseptique, antispasmodique, antivirale, bactéricide, balsamique, cicatrisante, dépurative, diurétique, expectorante, fébrifuge, hypoglycémiante, insecticide, parasiticide, prophylactique, rubéfiante, stimulante, vermifuge, vulnéraire.

Mélanges
Bergamote, citron, genévrier, lavande, lemon-grass, mélisse/citronnelle, pin sylvestre, romarin.

Description générale

Grand arbre de belle allure à feuilles persistantes ovales bleu-gris, ou jaunâtres sur un arbre plus vieux. Il présente des fleurs d'un blanc crémeux et une écorce grise, souvent couverte d'une poudre blanche.

Attributs et caractéristiques

Antiseptique, antiviral, apaisant, soulage la douleur et dégage le nez.

Répartition géographique
Australie et désormais
aussi Espagne, Brésil,
Californie, CEI et Chine.

À DROITE *L'huile d'eucalyptus est
extraite des feuilles et des
brindilles par distillation
à la vapeur d'eau.*

CI-DESSUS *Grâce à ses propriétés antiseptiques, c'est un composant idéal des produits de soins dentaires.*

UTILISATION À TRAVERS LES ÂGES

🗡 Les aborigènes australiens écrasent les feuilles et les appliquent sur la peau pour soigner les blessures, combattre les infections et soulager les douleurs musculaires.

🗡 Les chirurgiens occidentaux utilisaient une solution d'eucalyptus pour nettoyer les champs opératoires.

🗡 En Inde, on l'utilise pour faire baisser la fièvre et enrayer la propagation des maladies contagieuses.

🗡 Il entre dans la composition de nombreux produits pharmaceutiques pour le rhume de poitrine, ainsi qu'en médecine vétérinaire et en dentisterie.

CI-DESSOUS *Les aborigènes d'Australie utilisent le gommier bleu pour soigner les blessures et combattre les infections.*

AVERTISSEMENT
À éviter en cas d'hypertension ou si vous êtes sujet à des crises d'épilepsie. À utiliser toujours en dilution. Irrite la peau si elle est employée en grande quantité. Risque d'annuler les effets d'un traitement homéopathique.

NOTES MÉDICALES

EFFETS SUR LA PEAU
• Efficace pour soigner brûlures et problèmes cutanés, y compris l'herpès.
• Grâce à ses qualités antiseptiques et anti-bactériennes, elle enraye l'infection.
• Nettoie les peaux congestionnées.

USAGES PSYCHOLOGIQUES ET ÉMOTIONNELS
• Tempère les émotions, éclaircit les idées et peut favoriser la concentration.

• En diffuseur, peut apaiser l'atmosphère après une dispute.
• Renforce et stimule le système nerveux.

HUILE DE CITRON

HUILE DE GENÉVRIER

À DROITE *Mélangée aux huiles de genévrier et de citron, l'huile d'eucalyptus peut aider à soulager la polyarthrite.*

USAGE DOMESTIQUE

• Grâce à ses propriétés décongestionnantes, l'huile soulage les problèmes respiratoires.
• Dégage les sinus en cas de coup de froid ou de rhume des foins.
• Possède des propriétés antiseptiques et antivirales.
• Efficace pour désinfecter une pièce, surtout en cas de maladie infectieuse ou contagieuse.
• Remède souverain contre piqûres d'insectes, brûlures, blessures, ampoules et engelures.

• L'huile a des affinités avec le système génito-urinaire et peut apaiser cystite et diarrhées.
• Peut soulager les rhumatismes, y compris la polyarthrite et l'aponévrite, surtout si elle est associée aux huiles de genièvre et de citron.
• Repousse les insectes, en particulier si on la mélange aux huiles de bergamote et de lavande.
• Permet d'ôter le goudron des vêtements ou de la peau (ne jamais l'appliquer pure).

Fenouil

FOENICULUM VULGARE

*Censé protéger du diable, le fenouil était l'une des neuf herbes sacrées
des Anglo-Saxons. Les soldats romains en mangeaient pour rester en bonne
santé et leurs épouses pour ne pas grossir. Au IXe siècle, l'empereur Charlemagne
déclara que cette plante devait figurer dans tous les jardins impériaux.*

CI-DESSUS *Des bouquets de fleurs
jaunes et des feuilles pennées
caractérisent le fenouil*

Description générale

Le fenouil présente des feuilles vertes plumeuses,
des fleurs jaune d'or et des graines oblonges.
Il existe deux variétés de fenouil : fenouil amer ou
commun, et fenouil officinal ou fenouil de jardin.
Ce dernier est plus doux par nature et comporte
moins de fenchone.

Attributs et caractéristiques

Équilibrant, purifiant, éloigne les insectes,
revitalisant, stimulant.

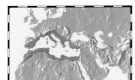

Répartition géographique

Originaire de la Méditerranée,
il est désormais cultivé partout
dans le monde.

PROPRIÉTÉS

Nom de famille **APIACÉES**

Méthode d'extraction
*Distillation à la vapeur d'eau
des graines écrasées.*

Composants chimiques
*Anisique, cuminique
(aldéhydes) ; fenchone
(cétone) ; anéthone,
methylchavicol (phénols) ;
camphène, dipentène,
limonène, phellandrène
(terpènes).*

Note
Entre de tête et de cœur.

Arôme
*Nettement anisé, épicé
et poivré.*

Propriétés
*Anti-inflammatoire,
antimicrobienne,
antiphylogistique,
antiseptique, antispasmodique,
apéritive, carminative,
dépurative, détoxiquante,
diurétique, emménagogue,
expectorante, galactagogue,
insecticide, laxative,
résolutive, splénétique,
stimulant (circulatoire),
stomachique, sudorifique,
tonique, vermifuge.*

Mélanges
*Basilic commun, bois de
santal, citron, géranium,
lavande, romarin, rose.*

À GAUCHE *Le fenouil,
qui peut atteindre
jusqu'à 2 mètres de
haut, présente des
feuilles plumeuses
aromatiques jaune-vert.*

UTILISATION À TRAVERS LES ÂGES

 Plante très appréciée en Chine et en Inde, où l'on s'en servait comme antidote aux morsures de serpents.

 Égyptiens, Chinois, Indiens et Grecs l'ont tous utilisée pour s'assurer une longue vie et s'attirer courage, force et puissance.

 Les Grecs avaient baptisé cette plante « marathron », de *maraino*, signifiant « se dessécher ».

CI-DESSOUS *En Asie, c'est un antipoison utilisé notamment contre les morsures de serpents.*

 Les athlètes grecs mâchaient des graines de fenouil pour accroître leur force et leur tonus, et les gladiateurs romains les ajoutaient à leur nourriture pour les mêmes raisons.

 Dans l'Angleterre médiévale, on pensait que le fenouil était capable de chasser les esprits démoniaques.

 Il est traditionnellement utilisé pour améliorer la vue et c'est un ingrédient de base dans le traitement des coliques infantiles.

NOTES MÉDICALES

EFFETS SUR LA PEAU

• Action nettoyante et tonique, surtout sur les peaux ternes, grasses ou ridées.
• Guérit les contusions et ralentit les saignements.

USAGES PSYCHOLOGIQUES ET ÉMOTIONNELS

• Apporte force et vaillance et encourage l'estime de soi.
• Apaise le système nerveux.
• On le dit capable de faire taire les mauvaises langues.

AVERTISSEMENT

Utilisée avec modération, l'huile de fenouil ne présente aucun danger. Elle est toutefois déconseillée aux personnes enceintes ou épileptiques, ainsi qu'aux jeunes enfants. À très haute dose, elle peut avoir un effet narcotique.

USAGE DOMESTIQUE

• Excellent détoxiquant de l'organisme après un excès de nourriture ou d'alcool.
• Bon tonique du système digestif, du foie, des reins et de la rate.
• Soulage indigestions, flatulences et diarrhées, surtout si elles sont provoquées par le stress.
• Peut faciliter la perte de poids du fait de la présence d'œstrogènes dans sa composition – ce qui permet d'équilibrer le métabolisme, mais risque aussi de stimuler l'appétit (à employer toujours en usage externe).
• Efficace en cas de règles irrégulières et de problèmes de la ménopause, une fois encore grâce aux œstrogènes qu'elle contient. Peut également soulager les crampes menstruelles, le syndrome prémenstruel et l'épuisement, surtout après une activité physique trop intense.
• Stimule la montée de lait.
• Soulage hoquet, nausées et vomissements.
• Diurétique, elle peut avoir un effet sur la cellulite et la rétention d'eau.
• Antispasmodique et expectorante, elle peut être utilisée en inhalations pour soulager rhumes, toux, asthme et bronchite.
• Peut être utilisée pour nettoyer les morsures d'insectes.

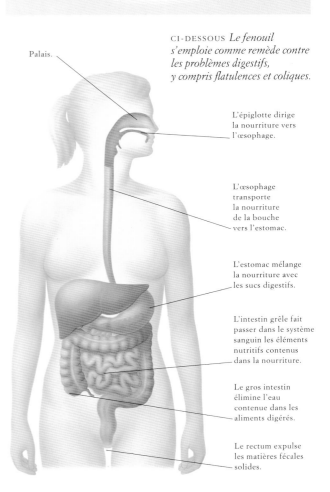

CI-DESSOUS *Le fenouil s'emploie comme remède contre les problèmes digestifs, y compris flatulences et coliques.*

Palais.

L'épiglotte dirige la nourriture vers l'œsophage.

L'œsophage transporte la nourriture de la bouche vers l'estomac.

L'estomac mélange la nourriture avec les sucs digestifs.

L'intestin grêle fait passer dans le système sanguin les éléments nutritifs contenus dans la nourriture.

Le gros intestin élimine l'eau contenue dans les aliments digérés.

Le rectum expulse les matières fécales solides.

Jasmin

JASMINUM OFFICINALE

Connu en Inde sous le nom de « reine de la nuit » pour sa riche fragrance nocturne,
le jasmin est couramment employé dans la fabrication de savons, cosmétiques
et parfums. En Occident, il était autrefois utilisé pour faciliter les accouchements,
tandis qu'en Orient les fleurs servent encore à soigner hépatites et cirrhoses du foie.

HUILE
DE JASMIN

CI-DESSUS *Les fleurs blanches étoilées*
du jasmin dégagent un merveilleux
parfum dans tous les jardins.

PROPRIÉTÉS

Nom de famille **OLÉACÉES**

Méthode d'extraction
L'extraction par solvant
(autrefois par enfleurage) des
fleurs donne un concret et un
absolu. L'huile essentielle est
obtenue en distillant l'absolu
à la vapeur d'eau. Le processus
d'extraction est très délicat
et d'énormes quantités de
pétales sont nécessaires pour
produire l'huile.

Composants chimiques
Benzyle, farnésol, géraniol,
nérol, terpinéol (alcools) ;
acétate lynalyle, anthranilate
méthyle (esters) ; jasmone
(cétone) ; eugénol (phénol).

Note
De fond.

Arôme
Sucré, exotique, persistant
et floral.

Propriétés
Analgésique (léger),
antidépressive, anti-
inflammatoire, antiseptique,
antispasmodique,
aphrodisiaque, carminative,
cicatrisante, émolliente,
expectorante, galactagogue,
parturiante, sédative, tonique
(utérin).

Mélanges
Bergamote, bois de rose, bois
de santal, citron, géranium,
mandarine/tangerine,
mélisse/citronnelle, oliban,
néroli, rose, sauge sclarée,
ylang-ylang.

Description générale
Buisson grimpant vigou-
reux à feuillage persistant
vert brillant, qui peut
atteindre 6 mètres de hauteur.
Il se pare de fleurs blanches étoilées
et délicieusement parfumées, que
l'on cueille uniquement à la nuit
tombée.

Attributs et caractéristiques
Antidépresseur, aphrodisiaque,
capiteux, redonne confiance, rassurant.

À DROITE *Les fleurs*
de jasmin exhalent
un parfum encore plus
puissant à la nuit tombée.

Répartition géographique
Égypte, Maroc, pourtour
méditerranéen. Originaire du
Pérou, du Cachemire et de Chine.

USAGE DOMESTIQUE

CI-DESSUS *L'huile de jasmin soulage les douleurs de l'accouchement et aide à lutter contre la dépression postnatale.*

• Peut renforcer les contractions et calmer les douleurs pendant l'accouchement.

• Équilibrant hormonal, l'huile peut aider à lutter contre la dépression postnatale.

• Soulage les douleurs menstruelles et combat les infections vaginales.

• On pense qu'elle peut augmenter la production de spermatozoïdes et soigner à la fois l'impuissance et la frigidité – peut-être grâce à ses propriétés relaxantes et rassurantes.

• Régularise et approfondit la respiration, apaise les spasmes des bronches et soulage les toux persistantes et les extinctions de voix.

• Bénéfique pour les spasmes musculaires et les entorses.

UTILISATION À TRAVERS LES ÂGES

❦ Pendant longtemps, l'huile de jasmin a été appréciée pour ses vertus aphrodisiaques.

❦ En Inde, l'huile de jasmin est fréquemment utilisée dans les cérémonies religieuses.

❦ Les Chinois employaient le jasmin pour purifier l'atmosphère autour d'un malade. Ils en donnaient aussi à leurs hôtes pour les dégriser.

❦ On l'utilisait jadis pour soulager les troubles nerveux, y compris l'insomnie et les céphalées.

❦ En Chine, le thé au jasmin est une boisson très appréciée ; en Indonésie, cette plante décore les plats.

NOTES MÉDICALES

EFFETS SUR LA PEAU

• Tonique de luxe (son prix est à la hauteur de ses vertus), elle convient très bien à tous les types de peaux, surtout les peaux sèches et sensibles.

• Mélangée à de l'huile de lavande et de mandarine/tangerine (avec une huile de support), elle favorise le renouvellement des cellules et augmente l'élasticité de la peau. À n'appliquer qu'en très petites quantités, car un excès peut provoquer l'effet inverse.

USAGES PSYCHOLOGIQUES ET ÉMOTIONNELS

• Excellente contre la dépression.

• Calme les nerfs et tempère les émotions en agissant avec douceur mais efficacité, surtout quand elle est employée en massages.

• Restaure la confiance en soi, l'optimisme, l'énergie et la vitalité.

• Comme l'huile de géranium, l'huile de jasmin peut être stimulante ou sédative, selon les besoins de l'individu.

AVERTISSEMENT

Ne pas utiliser pendant la grossesse. En revanche, elle peut être très efficace pendant l'accouchement, car elle renforce les contractions utérines tout en soulageant les douleurs.

CI-DESSOUS *Le thé au jasmin est une boisson très répandue en Chine.*

À DROITE *Ajoutez de l'huile de mandarine, de lavande et de jasmin à une huile de support, telle que le soja, pour stimuler la croissance des cellules.*

Genévrier

JUNIPERUS COMMUNIS

BAIES
DE GENÉVRIER

Si les baies de genévrier donnent au gin sa saveur caractéristique, elles entrent aussi dans la composition de nombreux produits alimentaires. Elles sont recommandées dans le traitement des cystites, des problèmes de prostate, des infections gastro-intestinales et comme vermifuge. Elle ont une action préventive contre les tiques et les puces.

HUILE DE GENÉVRIER

CI-DESSUS *Le genévrier est un petit conifère à croissance lente, aux aiguilles bleu-gris, minces et raides.*

Description générale

Les tiges rouge sombre portent des feuilles semblables à des aiguilles, de petites fleurs jaunes, et des baies bleu-gris qui noircissent en mûrissant.

Attributs et caractéristiques

Aphrodisiaque, astringent, détoxiquant, nettoyant, protecteur, purifiant.

Répartition géographique

Hongrie, Italie, France, Canada. Originaire d'Europe du Nord.

PROPRIÉTÉS

Nom de famille **CUPRESSACÉES**

Méthode d'extraction
Distillation à la vapeur des baies, des aiguilles et du bois. Un résinoïde et un concret sont produits en petites quantités.

Composants chimiques
Bornéol, terpinéol (alcools) ; cadinène, cédrène (sesquiterpènes) ; camphène, myrcène, pinène, sabinène (terpènes).

Note
De cœur.

Arôme
Poivré, clair et frais.

Propriétés
Abortive, antirhumatismale, antiseptique, antispasmodique, antitoxique, aphrodisiaque, astringente, carminative, cicatrisante, dépurative, désinfectante, détoxiquante, diurétique, emménagogue, insecticide, nervine, parasiticide, parturiante, rubéfiante, sédative, stimulante, stomachique, sudorifique, tonique, vulnéraire.

Mélanges
Bergamote, bois de santal, citron vert, cyprès, géranium, lavande, lemon-grass, mélisse/citronnelle, oliban, pamplemousse, romarin, sauge sclarée, vétiver.

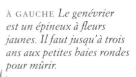

À GAUCHE *Le genévrier est un épineux à fleurs jaunes. Il faut jusqu'à trois ans aux petites baies rondes pour mûrir.*

USAGE DOMESTIQUE

• Soulage la rétention d'eau et les symptômes de la cystite, et facilite l'écoulement des urines en cas de dilatation de la prostate.

• Aide à effacer la cellulite.

• Régule le cycle menstruel et soulage crampes et règles douloureuses.

• Désintoxique le foie, les intestins et la vessie, suite notamment à des excès de table ou des abus d'alcool. Régule également l'appétit.

• Dans un bain, l'huile combat la somnolence.

• Dégage les muqueuses intestinales et soulage les hémorroïdes. Capable d'éliminer l'acide urique, elle calme les douleurs de l'arthrose, de la goutte et de la sciatique.

• Soigne les engelures.

• Diluée dans l'eau, c'est un désinfectant domestique efficace.

À DROITE *L'huile de genévrier favorise l'élimination des toxines après un repas trop riche.*

NOTES MÉDICALES

EFFETS SUR LA PEAU

• Tonique pour les peaux grasses et congestionnées.

• Efficace contre l'eczéma et l'acné, les points noirs, les poux, les tiques et les puces, les dermatoses et les gonflements.

USAGES PSYCHOLOGIQUES ET ÉMOTIONNELS

• Éclaircit, stimule et renforce l'esprit.

• Connue pour sa capacité à soutenir l'esprit dans les situations délicates.

• Favorise l'estime de soi.

AVERTISSEMENT

À éviter pendant la grossesse car elle peut provoquer des contractions. À éviter également, si vous souffrez d'une maladie rénale, car un usage prolongé risque de déclencher une hyperactivité des reins. En grande quantité, l'huile peut irriter la peau.

CI-DESSUS *Les anciens Égyptiens enduisaient les corps d'huile de genévrier avant de les embaumer.*

UTILISATION À TRAVERS LES ÂGES

C'est l'un des plus anciens aromates utilisés par l'homme. On en a retrouvé dans une habitation préhistorique.

Les anciens Égyptiens utilisaient l'huile pour oindre les défunts, et les baies, dans les cosmétiques, les parfums et pour soigner les maux de tête.

Dans la Grèce antique, et plus récemment dans les hôpitaux français (notamment lors de l'épidémie de variole de 1870), on brûlait des branches de genévrier pour enrayer la propagation de l'épidémie.

En Angleterre, on brûlait du genévrier pour chasser les sorcières et les démons et on l'utilisait aussi pour combattre le choléra et la fièvre typhoïde.

On le considérait comme un remède efficace contre les céphalées et comme un élixir de jeunesse.

Le mot celtique *juneprus* signifie « acide » ou « mordant ».

En Europe centrale, l'huile était considérée comme un remède miracle contre la typhoïde, le choléra, la dysenterie et le vers solitaire.

En Mongolie, on le donnait aux femmes sur le point d'accoucher. Il est toujours utilisé comme un encens purificateur au Tibet et les Indiens d'Amérique brûlent une variété de genévrier pendant leurs rituels de purification.

Les baies servent à parfumer le gin.

HUILE DE
LAVANDE

Lavande

LAVANDULA ANGUSTIFOLIA

Pendant les années de peste, beaucoup de gens transportaient sur eux des bouquets de fleurs séchées afin de repousser l'infection. La lavande est toujours couramment utilisée pour parfumer tiroirs et armoires. Insecticide, elle éloigne les mites.

FEUILLES
DE LAVANDE

CI-DESSUS *En été, la lavande se couvre de fleurs bleu-pourpre extrêmement odorantes.*

PROPRIÉTÉS

Nom de famille **LABIÉES**

Méthode d'extraction
Distillation à la vapeur d'eau des fleurs fraîches. L'extraction par solvant donne également un absolu et un concret.

Composants chimiques
Bornéol, géraniol, lavandulol, linalol (alcools) ; acétate géranyle, acétate lavandulyle, acétate lynalyle (esters) ; cinéole (cétone) ; caryophyllène (sesquiterpène) ; limonène, pinène (terpènes).

Note
De cœur.

Arôme
Léger et floral avec des notes clairement boisées.

Propriétés
Analgésique, anticonvulsive, antidépressive, antimicrobienne, antiphylogistique, antirhumatismale, antiseptique, antispasmodique, antitoxique, antivirale, bactéricide, carminative, cholagogue, cholérétique, cicatrisante, cordiale, cytophylactique, décongestionnante, déodorante, détoxiquante, diurétique, emménagogue, fongicide, hypotenseur, insecticide, nervine, parasiticide, revigorante, rubéfiante, sédative, splénétique, stimulante, sudorifique, tonique, vermifuge, vulnéraire.

Mélanges
Bergamote, camomille romaine, citron, géranium, jasmin, mandarine/tangerine, néroli, patchouli, pin sylvestre, romarin, rose, sauge sclarée.

Description générale
Buisson à feuilles persistantes gris-vert, portant des fleurs violettes.

Attributs et caractéristiques
Antidépresseur, antiseptique, calmant, céphalique, équilibrant, relaxant.

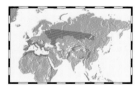

Répartition géographique
Pays méditerranéens, républiques du Sud de l'ex-URSS, Bulgarie, ex-Yougoslavie, Angleterre, France.

À GAUCHE *Les fines feuilles de la lavande sont très parfumées.*

NOTES MÉDICALES

EFFETS SUR LA PEAU

• Favorise le remplacement des cellules et équilibre la production de sébum, surtout quand elle est associée à la bergamote.
• Accélère la guérison de brûlures domestiques et de coups de soleil.
• Aide à se débarrasser de l'acné, des mycoses plantaires, des pellicules, de l'eczéma et du psoriasis.
• Efficace pour soigner abcès, furoncles, anthrax, et pour circonscrire champignons, gonflements, cicatrices et vergetures.
• Tonifie la pousse des cheveux ; elle peut être aussi utile en cas d'alopécie.

USAGES PSYCHOLOGIQUES ET ÉMOTIONNELS

• Contre les sautes d'humeur et le sentiment d'instabilité.
• Équilibrant du système nerveux, utile en cas de psychose maniaco-dépressive.
• Apaise l'esprit et combat l'irritabilité et l'épuisement.

AVERTISSEMENT

Si votre tension est basse, la lavande peut vous rendre légèrement somnolent.

À DROITE *La lavande possède une odeur tenace ; c'est un parfum apprécié des Anglais depuis longtemps.*

UTILISATION À TRAVERS LES ÂGES

• Dans le Nord de l'Europe, la lavande était l'une des herbes dédiées à Hécate, déesse des enfers ; elle était aussi censée chasser le mauvais œil.

• Dans l'herbier de Hildegarde von Bingen, composé au XIIᵉ siècle, son utilisation est préconisée pour conserver un esprit pur.

• La lavande est l'un des plus anciens parfums et remèdes populaires anglais. Elle est utilisée pour ses propriétés calmantes et toniques, et parce qu'elle éloigne les insectes.

• À l'époque élisabéthaine, les femmes cousaient des poches de lavande sous leurs habits et, aujourd'hui encore, les écoliers fabriquent des sachets de lavande pour les tiroirs à vêtements.

CI-DESSOUS *Le nom de la lavande vient du latin* lavare, *« laver », et son huile est souvent utilisée pour parfumer l'eau du bain.*

USAGE DOMESTIQUE

• C'est l'huile la plus efficace en termes thérapeutiques : à la fois sédative, antiseptique, antalgique et calmante.
• Contient de nombreux composants chimiques et possède de multiples propriétés, la plus importante étant de rétablir l'équilibre de tous les systèmes de l'organisme.

• Favorise un sommeil réparateur et dissipe les maux de tête.
• Soulage bronchites, rhumes des foins, catarrhes, symptômes grippaux et asthme.
• Associée à l'huile de marjolaine, elle soulage la douleur, y compris les entorses musculaires, les rhumatismes et les règles douloureuses.

• Comme le jasmin, elle peut être utile au moment de l'accouchement, mais mieux vaut l'éviter dans les premiers mois de la grossesse.
• Soulage nausées, vomissements et flatulences.
• Stimule la sécrétion biliaire et la digestion des graisses.

• Abaisse la tension et prévient les palpitations.
• Soulage la rétention des fluides et les douleurs dues à une cystite.
• Éloigne les insectes et peut aussi être appliquée directement sur les piqûres, morsures, blessures et contusions.

Arbre à thé

MELALEUCA ALTERNIFOLIA

Les multiples vertus curatives de l'huile distillée à partir des brindilles et des feuilles pointues de cet arbre australien, font l'objet d'importantes recherches médicales. C'est un remède traditionnel utilisé par les aborigènes d'Australie pour soigner les blessures infectées.

CI-DESSUS *L'arbre à thé est un arbuste originaire d'Australie et principalement de Nouvelle-Galles du Sud.*

Description générale

Arbre ou buisson au feuillage épineux et à fleurs jaunes ou pourpres. À l'état sauvage, il pousse dans les zones marécageuses, mais il est désormais cultivé dans des plantations.

Attributs et caractéristiques

Antifongique, antiviral et antibactérien.

Répartition géographique
Australie.

PROPRIÉTÉS

Nom de famille MYRTACÉES

Méthode d'extraction
Distillation à la vapeur d'eau des feuilles et des brindilles.

Composants chimiques
Terpinéol (alcool) ; cinéole (cétone) ; cymène, pinène, terpinène (terpènes).

Note
De tête.

Arôme
Chaleureux, frais et pur.

Propriétés
Antibiotique, anti-inflammatoire, antipruritique, antiseptique, antivirale, bactéricide, balsamique, cicatrisante, cordiale, expectorante, fongicide, insecticide, parasiticide, stimulant (système immunitaire), sudorifique, vulnéraire.

Mélanges
Citron, cyprès, eucalyptus, gingembre, lavande, mandarine/tangerine, pin sylvestre, romarin, sauge sclarée, thym, ylang-ylang.

À GAUCHE *L'huile de l'arbre à thé est distillée à partir des feuilles et des brindilles de la plante.*

NOTES MÉDICALES

EFFETS SUR LA PEAU

• Nettoie et désinfecte.
• Efface les marques laissées par la varicelle et le zona ; recommandée pour les peaux craquelées et rugueuses.
• Efficace contre acné, brûlures, ampoules, engelures, boutons de fièvre, verrues, mycoses plantaires, coups de soleil, herpès, morsures d'insectes, varicosités et pellicules. Peut être appliquée directement sur les zones affectées (éviter la peau alentour) ou, diluée dans l'eau, en compresses, en applications locales ou en rinçage capillaire. Attention à ne pas masser directement sur ou en dessous d'une varice.

USAGES PSYCHOLOGIQUES ET ÉMOTIONNELS

• Rafraîchissante et revitalisante, surtout après un choc.

AVERTISSEMENT

Peut être appliquée pure en cas d'urgence, mais il faut procéder à un test cutané préalable. Limiter l'application à la zone affectée, en évitant le pourtour.

UTILISATION À TRAVERS LES ÂGES

Cet arbre est depuis longtemps reconnu par les aborigènes australiens, qui l'utilisent pour soigner les blessures infectées.

Il fut baptisé par l'équipage du capitaine Cook, qui préparait un breuvage à partir de ses feuilles. Introduit en Europe aux environs de 1927, on reconnut rapidement ses propriétés antiseptiques et germicides.

Pendant la Seconde Guerre mondiale, les trousses d'urgence que les soldats emportaient avec eux pour aller combattre sous les tropiques contenaient de l'huile de l'arbre à thé. On l'utilisait pour soigner les blessures cutanées dans les cartoucheries.

L'huile est utilisée en aromathérapie depuis peu, même si ses propriétés immuno-stimulantes ont rapidement été reconnues.

En France, aux États-Unis et en Australie, la recherche médicale s'intéresse à ses propriétés anti-infectieuses et antivirales, notamment en dermatologie.

CI-DESSOUS Les soldats stationnés sous les tropiques pendant la Seconde Guerre mondiale utilisaient l'huile de l'arbre à thé pour soigner leurs blessures.

USAGE DOMESTIQUE

• L'huile renforce la résistance aux infections et le système immunitaire.
• Efficace contre la grippe et le catarrhe.
• Grâce à ses affinités avec le système respiratoire, elle peut enrayer coqueluche, tuberculose, asthme, bronchite et sinusite.
• Aide le corps à se débarrasser des infections récurrentes et des maladies débilitantes comme la mononucléose infectieuse.
• Des tests sont en cours pour tenter d'établir son efficacité contre le sida.
• Soulage le muguet vaginal.
• Apaise les démangeaisons et les douleurs dues aux cystites.
• Protège des marques laissées par une radiothérapie profonde du sein : l'huile forme une couche protectrice sur la peau.
• Un massage à l'huile de l'arbre à thé mélangée à une huile de support permet de préparer le corps avant un acte chirurgical. Elle atténue également les chocs postopératoires, mais il est important d'éviter tout massage sur la blessure ou la cicatrice consécutive à l'intervention.
• Efficace contre les infections de l'oreille moyenne et les inflammations intestinales ; élimine les parasites intestinaux.

CI-DESSUS EN HAUT L'arbre à thé est testé dans le cadre de la recherche contre le sida.

CI-DESSUS EN BAS L'huile soulage le muguet provoqué par le Candida albicans.

Niaouli

MELALEUCA VIRIDIFLORA

Originaire d'Australie et de Nouvelle-Calédonie, l'huile de niaouli est utilisée localement pour traiter
un large éventail de maladies. On l'emploie dans les hôpitaux pour ses propriétés antiseptiques
puissantes. Elle entre aussi dans la composition de nombreux produits pharmaceutiques –
gargarismes, dentifrices et sprays buccaux – et on l'emploie parfois pour purifier l'eau.

CI-DESSUS *Les feuilles persistantes*
du melaleuca viridiflora *sont très*
parfumées quand on les écrase.

PROPRIÉTÉS

Nom de famille MYRTACÉES

Méthode d'extraction
Distillation à la vapeur d'eau
des brindilles, des fleurs
et des jeunes pousses.
Les aldéhydes irritants
sont souvent éliminés.

Composants chimiques
Valérique (acide) ; terpinéol
(alcool) ; cinéole (cétone) ;
limonène, pinène (terpènes).

Note
De tête.

Arôme
Vif, clair et pénétrant.

Propriétés
Analgésique, anticatarrhale,
antirhumatismale,
antiseptique, antispasmodique,
bactéricide, balsamique,
cicatrisante,
décongestionnante,
expectorante, fébrifuge,
insecticide, régulatrice,
stimulante, vermifuge,
vulnéraire.

Mélanges
Citron, citron vert, fenouil,
genévrier, lavande, myrte,
pin sylvestre, romarin.

Description générale

Arbre à feuilles persistantes effilées,
à fleurs jaunes et pointues.

Attributs et caractéristiques

Antiseptique, nettoyant, purifiant,
stimulant physique et mental.

À DROITE *L'huile de niaouli*
est distillée à partir
des feuilles fraîches et
des jeunes pousses.

HUILE DE NIAOULI

Répartition géographique
Nouvelle-Calédonie, Australie.

USAGE DOMESTIQUE

• Stimulant des tissus, surtout des tissus pulmonaires, elle est efficace contre l'emphysème, la bronchite et l'asthme.
• Dynamise la circulation et augmente l'activité des globules blancs.
• Huile curative et stimulante, elle aide à réagir

contre les coups de froid, la fièvre et la grippe.
• Huile recommandée en début de maladie et lors de périodes de faiblesse, en vertu de ses propriétés fortifiantes.
• Dégage les voies respiratoires, les oreilles, le nez et la gorge.

• Efficace contre rhumes, laryngites, bronchites, grippe, coqueluche et tuberculose.
• Utile dans le traitement des infections intestinales et urinaires, et des parasites internes.

• Apaise les douleurs dues aux tensions musculaires, les rhumatismes et les névralgies.
• Avant chaque séance de radiothérapie, on enduit la peau d'une fine couche d'huile de niaouli pour la protéger des brûlures.
• Ses propriétés stimulantes accélèrent la cicatrisation des tissus brûlés.

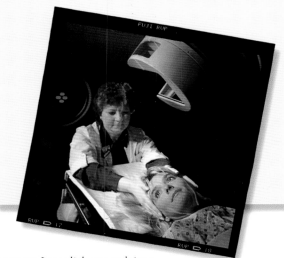

CI-DESSUS *Les radiologues enduisent la peau d'huile de niaouli pour éviter les brûlures pendant l'exposition aux radiations.*

CI-DESSOUS À DROITE *Au Moyen-Orient, la plante participe au rituel du thé.*

AVERTISSEMENT

Non toxique, non irritante, non sensibilisante. Souvent frelatée et parfois confondue (ou mélangée) avec l'huile de cajeput (*Melaleuca leucadendron*) qui possède des propriétés similaires mais irrite la peau. Veillez à acheter uniquement une huile de niaouli de bonne qualité. Stimulant puissant, cette huile ne doit être utilisée le soir qu'en association avec des huiles plus sédatives.

UTILISATION À TRAVERS LES ÂGES

❦ En Nouvelle-Calédonie, la présence de l'arbre expliquerait l'absence de malaria et la qualité de l'air.

❦ En Nouvelle-Calédonie, on l'utilise pour purifier l'eau.

❦ Au Moyen-Orient, on boit la plante en infusion.

❦ C'est pendant le séjour du capitaine Cook en Australie, en 1788, que son nom botanique (latin) lui fut attribué.

❦ Les hôpitaux français l'ont utilisé en gynécologie obstétrique pour ses puissantes vertus antiseptiques.

NOTES MÉDICALES

EFFETS SUR LA PEAU
• Efficace contre les éruptions cutanées, acné, furoncles, ulcères, coupures et piqûres d'insectes ; elle est antiseptique mais n'irrite pas la peau et raffermit les tissus.
• Facilite la cicatrisation des brûlures légères.
• Diluée, s'utilise pour désinfecter les blessures.

USAGES PSYCHOLOGIQUES ET ÉMOTIONNELS
• Éclaircit et stimule l'esprit.
• Favorise la concentration.

Mélisse/citronnelle

MELISSA OFFICINALIS

Utilisée par les anciens Grecs il y a plus de 2 000 ans, la mélisse était consacrée à Diane, déesse de la chasse. Pendant des siècles, les herboristes ont exalté sa capacité à conjurer la mélancolie ; de nos jours, les aromathérapeutes s'en servent pour soulager la dépression. Sa fragrance entre également dans la composition de cosmétiques et de parfums.

CI-DESSUS *Le parfum des feuilles de mélisse s'exhale quand les fleurs commencent à s'ouvrir. Les feuilles sont comestibles en salades.*

Description générale

Plante au parfum sucré et aux feuilles dentelées vertes et brillantes, à fleurs jaunes ou blanches.

Attributs et caractéristiques

Apaisant, calmant, fortifiant, réconfortant, roboratif.

Répartition géographique
Europe, Asie,
Amérique du Nord,
Afrique du Nord, CEI.

PROPRIÉTÉS

Nom de famille **LABIÉES**

Méthode d'extraction
Distillation à la vapeur d'eau des feuilles et des fleurs. L'ensemble de la plante produit de l'huile essentielle.

Composants chimiques
Citronellique (acide) ; citronellol, géraniol, linalol (alcools) ; citral, citronellal (aldéhydes) ; acétate géranyle (ester) ; caryophyllène (sesquiterpène).

Note
De cœur.

Arôme
Sucré et piquant, avec des notes florales.

Propriétés
Antiallergénique, antidépressive, anti-histaminique, antispasmodique, bactéricide, carminative, cholérétique, cordiale, digestive, emménagogue, fébrifuge, hypotenseur, nervine, sédative, stimulante, stomachique, sudorifique, tonique, utérine, vermifuge.

Mélanges
Basilic commun, camomille romaine, genévrier, géranium, gingembre, jasmin, lavande, marjolaine, néroli, oliban, romarin, rose, ylang-ylang.

HUILE DE MÉLISSE

À GAUCHE *Les feuilles dentelées vertes et brillantes de la mélisse dégagent une forte odeur citronnée.*

CI-DESSUS *Si vous êtes sujet au vertige, l'huile de mélisse peut soulager ses symptômes.*

USAGE DOMESTIQUE

- Régule la menstruation, apaise les règles douloureuses et tonifie l'utérus.
- Ralentit le rythme cardiaque et abaisse la tension ; efficace contre la fatigue et l'hyperactivité.
- Calme la respiration et les digestions nerveuses, soulage les indigestions et les nausées.

- Enraye coups de froid et toux chroniques, fait baisser la fièvre et dissipe migraines et maux de tête.
- Grâce à ses propriétés antihistaminiques, soulage les allergies, y compris l'asthme et autres difficultés respiratoires.
- Éloigne les insectes, mais attire les abeilles.

NOTES MÉDICALES

EFFETS SUR LA PEAU
- Efficace contre la calvitie et les cheveux gras.
- Arrête les saignements dus à des blessures.
- Aide à résorber infections fongiques et eczémas.
- Apaise les piqûres d'insectes.

AVERTISSEMENT
Comme elle équilibre le cycle menstruel, mieux vaut l'éviter pendant la grossesse. Risque d'irriter les peaux sensibles, d'autant plus qu'elle est souvent frelatée.

USAGES PSYCHOLOGIQUES ET ÉMOTIONNELS
- Calme les personnes en état de choc, de panique ou d'hystérie.
- Traditionnellement connue comme tonique cardiaque et remède des esprits angoissés.
- Soulage dépression, insomnie et anxiété nerveuse.
- Équilibre les émotions.
- Utile en cas de deuil, y compris de fausse couche, et peut-être pour se familiariser avec l'idée de sa propre mort.
- Dissipe les blocages mentaux et calme l'hystérie.
- Aide à surmonter le vertige.

UTILISATION À TRAVERS LES ÂGES

Melittena signifie « abeille » en grec, et Melissa était le nom de la nymphe grecque qui protégeait ces insectes.

La mythologie grecque rapporte que Jupiter, enfant, fut nourri de miel par des abeilles. Le miel de mélisse a la réputation d'être délicieux.

Elle est célèbre pour ses vertus rajeunissantes.

L'alchimiste Paracelse l'avait baptisée « l'élixir de vie ».

Depuis longtemps, la plante connaît un usage thérapeutique. Introduite en Angleterre par les Romains au IVe siècle, elle y est toujours très appréciée.

À l'époque élisabéthaine, les feuilles entraient dans la fabrication du vin ; elles ont aussi été utilisées dans la composition d'encaustiques.

Au XVIe siècle, un professeur d'Oxford la recommandait à ses étudiants pour éclaircir les idées, améliorer la compréhension et aiguiser la mémoire.

Onéreuse, l'huile de mélisse est souvent mélangée aux huiles d'oliban ou de citron, moins chères.

À GAUCHE *On peut ajouter du jus de mélisse à l'encaustique des meubles ou des sols.*

Myrte

MYRTUS COMMUNIS

Dédiée à Vénus et à la déesse égyptienne Hathor, la myrte symbolise l'amour et la pureté. Les amoureux s'en parent car elle porte chance et bonheur. Elle entre souvent dans la composition des bouquets et des coiffures de mariées. À l'époque romaine, la myrte servait d'ornement cérémoniel, notamment pour les mariages.

CI-DESSUS *Les fleurs blanches du buisson de myrte ont un parfum sucré et éclosent du milieu de l'été à l'automne.*

PROPRIÉTÉS

Nom de famille MYRTACÉES

Méthode d'extraction
Distillation à la vapeur d'eau des feuilles, brindilles et fleurs.

Composants chimiques
Géraniol, linalol, myrténol, nérol (alcools) ; myrténal (aldéhyde) ; cinéole (cétone) ; camphène, dipentène, pinène (terpènes).

Note
De cœur.

Arôme
Frais et pénétrant.

Propriétés
Anticatarrhale, antiseptique, astringente, bactéricide, balsamique, carminative, expectorante, parasiticide ; sédatif (doux).

Mélanges
Arbre à thé, bergamote, bois de rose, citron, citron vert, gingembre, lavande, lemon-grass, néroli, romarin, sauge sclarée.

Description générale

Gros buisson ou arbuste portant de nombreuses branches minces, à l'écorce rougeâtre et aux petites feuilles pointues. Il se couvre de fleurs blanches et de baies noires. Fleurs et feuilles sont aromatiques.

Attributs et caractéristiques

Antiseptique, aphrodisiaque, rafraîchissant, stimulant, roboratif.

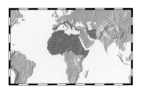

Répartition géographique
Pourtour méditerranéen, Afrique du Nord, Iran.

HUILE DE MYRTE

À GAUCHE *Les feuilles vert foncé et brillantes du buisson de myrte exhalent une odeur sucrée.*

UTILISATION À TRAVERS LES ÂGES

🌿 Les Romains traitaient les problèmes respiratoires et urinaires à l'aide de la myrte.

🌿 Les Égyptiens l'utilisaient contre les déséquilibres nerveux et trempaient les feuilles dans l'huile d'olive pour oindre les corps.

🌿 Les Grecs la considéraient comme un symbole d'immortalité et s'en servaient pour fabriquer des filtres d'amour.

🌿 Aux Jeux olympiques, les vainqueurs étaient couronnés de guirlandes de myrte.

🌿 Selon la légende, la déesse Aphrodite chercha refuge sous un buisson de myrte quand elle sortit des eaux. Depuis lors, la myrte est associée à la chasteté et à la pureté.

🌿 Dans le Sud de la France, il arrive encore qu'une femme boive des infusions de myrte pour conserver sa beauté. La tradition veut également que l'on plante un buisson de myrte à la porte de sa maison pour se protéger du mauvais œil.

🌿 Dans les temps bibliques, les femmes juives arboraient des guirlandes de myrte en guise de porte-bonheur.

🌿 Fleurs et feuilles étaient les principaux ingrédients d'une lotion très populaire au XVIe siècle, l'« eau d'ange ». On croyait alors que la myrte guérissait les cancers de la peau.

🌿 Plus récemment, elle est devenue très recherchée pour les bouquets et coiffures de mariées. Elle entre aussi dans la composition du talc pour bébé.

AVERTISSEMENT

Un usage prolongé peut irriter les muqueuses.

CI-DESSUS À DROITE
Les femmes juives arboraient des guirlandes de myrte en guise de porte-bonheur. Elle est traditionnellement utilisée dans la composition des coiffures de mariées.

USAGE DOMESTIQUE

• Favorise le sommeil et réduit la production de fluides : poumons congestionnés, bronchite, catarrhe et sueurs nocturnes.
• Il est recommandé de brûler de l'huile de myrte dans la chambre d'un enfant malade, surtout la nuit. S'utilise en massage sur la poitrine, très diluée avec une huile de support ou une lotion, à la fois pour soigner et prévenir les problèmes respiratoires. Son odeur est moins prononcée que celle de l'eucalyptus.
• Effet régulateur sur le système génito-urinaire : Calme diarrhées, hémorroïdes, dysenterie et cystite. Tonique de l'utérus.

CI-DESSOUS Brûlez de la myrte en cas de poitrine congestionnée et de rhume. Également efficace pour calmer la toux infantile.

NOTES MÉDICALES

EFFETS SUR LA PEAU
• Ses qualités antiseptiques et astringentes la destinent au nettoyage de la peau, notamment des peaux grasses.
• Efficace sur l'acné, les contusions et les peaux congestionnées, surtout en applications locales et en compresses.
• Peut améliorer l'apparence du psoriasis.

USAGES PSYCHOLOGIQUES ET ÉMOTIONNELS
• Effet calmant sur l'irritabilité. Légère, pure et rafraîchissante, elle peut dissiper la mauvaise humeur.

Basilic commun

OCIMUM BASILICUM

Plante sacrée dans la culture indienne, on faisait prêter serment, dans les tribunaux, sur une tige de basilic. Selon la légende, on en découvrit autour du tombeau du Christ après la résurrection ; il sert toujours à préparer l'eau bénite dans les églises grecques orthodoxes.

FEUILLES
DE BASILIC

CI-DESSUS *À la fin de l'été, des bouquets de petites fleurs blanc-rose apparaissent sur la plante.*

PROPRIÉTÉS

Nom de famille LABIÉES

Méthode d'extraction
Distillation à la vapeur d'eau de toute la plante.

Composants chimiques
Linalol (alcool) ; bornéone, camphre, cinéole (cétones) ; méthylchavicol, eugénol (phénols) ; ocimène, pinène, sylvestrène (terpènes).

Note
De tête.

Arôme
Senteur légère, fraîche, à la fois épicée et sucrée. Toute la plante exhale un arôme puissant.

Propriétés
Analgésique, anti-allergénique, antidépressive, antiseptique, antispasmodique, antivénéneuse, aphrodisiaque, bactéricide, carminative, céphalique, digestive, emménagogue, expectorante, fébrifuge, galactagogue, insecticide, nervine, prophylactique, revigorante, stimulante, stomachique, sudorifique, tonique, vermifuge.

Mélanges
Bergamote, bois de santal, citron vert, géranium, lavande, mélisse, néroli, sauge sclarée.

Description générale

Herbe annuelle à feuilles ovales, sombres et duveteuses, et une tige droite qui porte des fleurs rose pâle.

Attributs et caractéristiques

Aphrodisiaque, céphalique, fortifiant, insecticide, nettoyant, réchauffant, roboratif.

HUILE DE BASILIC
COMMUN

À GAUCHE *Utilisé en cuisine, le basilic est un aromate au parfum prononcé.*

Répartition géographique
Afrique du Nord, France, Seychelles, Chypre, La Réunion, États-Unis, Amérique du Sud. Originaire d'Asie, d'Afrique et des îles du Pacifique.

AVERTISSEMENT

L'huile de basilic est généralement tonique et stimulante, mais elle peut avoir l'effet inverse quand on en abuse. À éviter pendant la grossesse.

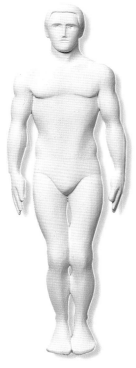

CI-DESSUS *Utilisez l'huile de basilic pour soulager les muscles fatigués et douloureux.*

USAGE DOMESTIQUE

• Efficace contre les maux de tête, migraines et infections pulmonaires.
• Du fait de son action sur la partie du cerveau qui contrôle toutes les allergies liées au stress, l'huile peut soulager les allergies respiratoires telles que le rhume des foins et l'asthme.
• Calme les nausées, les indispositions ou désordres digestifs et le hoquet.
• Nettoie les reins et les intestins.

• Imite les œstrogènes naturels et permet donc de réguler le cycle menstruel.
• Efficace contre les piqûres d'insectes, dont les guêpes, et agit comme répulsif.
• Abaisse le taux d'urée dans l'organisme et soulage la goutte et l'arthrose.
• Stimule la circulation sanguine et peut donc avoir un effet positif sur les blessures musculaires profondes et sur les muscles fatigués et surmenés.

AVERTISSEMENT

Utilisez l'huile de basilic avec précaution, car elle peut irriter la peau. Ne pas l'appliquer pure sur la peau. Si vous avez une peau sensible, diluez-la fortement avant usage et faites un test cutané avant de l'ajouter à l'eau de votre bain.

En grec, *basilikos* veut dire « royal », et l'on pense que la plante entrait dans la composition de l'huile qui servait à l'onction des rois.

Le folklore indien consacre le basilic à Krishna et à Vishnou. Les brahmanes le considèrent comme une plante sacrée capable d'offrir une protection spirituelle et physique à celui qui la porte. Ses feuilles sont déposées sur la poitrine des morts pour protéger leur âme.

Il est particulièrement utilisé dans la médecine ayurvédique pour ses propriétés antiseptiques.

En Chine, on l'utilise pour traiter les affections de l'estomac et des reins.

Depuis des siècles, il est considéré comme un aphrodisiaque et très apprécié en cuisine.

CI-DESSUS *En Inde, le basilic est consacré au dieu Krishna ; on pense qu'il contient une essence divine.*

NOTES MÉDICALES

EFFETS SUR LA PEAU
• Action rafraîchissante, nettoyante et tonique.
• Bénéfique pour les peaux congestionnées et l'acné.

USAGES PSYCHOLOGIQUES ET ÉMOTIONNELS
• Redynamise, rafraîchit les idées et l'esprit, aiguise les sens et améliore la concentration.
• Calme l'hystérie et les troubles nerveux.

• Peut agir comme remontant si vous êtes déprimé.
• Convient aux personnes affaiblies par une maladie débilitante et ayant besoin d'être entourées.

Marjolaine

ORIGANUM MAJORANA

Selon la légende, la déesse Aphrodite considérait cette plante au parfum sucré comme le symbole du bonheur. En Grèce, on couronnait les mariés de guirlandes de marjolaine comme gage de félicité. Introduite en Europe au Moyen Âge, elle est vite devenue un élément apprécié dans les petits bouquets et un adjuvant à l'eau des bains.

CI-DESSUS *La marjolaine est une plante vivace et rustique pouvant atteindre 60 centimètres de haut.*

Description générale

Plante vivace à feuilles ovales vert foncé et à petites fleurs blanches. Toute la plante est odorante.

Attributs et caractéristiques

L'huile de marjolaine est particulièrement calmante et sédative ; elle réchauffe également l'organisme ; on la recommande spécialement aux personnes âgées.

Répartition géographique
Égypte, Maroc, Tunisie, Bulgarie, Hongrie. Originaire des pays méditerranéens, Égypte et Afrique du Nord.

PROPRIÉTÉS

Nom de famille **LABIÉES**

Méthode d'extraction
Distillation à la vapeur des sommités fleuries et des feuilles séchées.

Composants chimiques
Bornéol, terpinéol (alcools) ; camphre (cétone) ; caryophyllène (sesquiterpène) ; pinène, sabinène, terpinène (terpènes).

Note
De cœur.

Arôme
Chaud, lourd et pénétrant.

Propriétés
Analgésique, anaphrodisiaque, antioxydante, antiseptique, antispasmodique, antivirale, bactéricide, carminative, céphalique, cordiale, digestive, diurétique, emménagogue, expectorante, fongicide, hypotenseur, laxative, nervine, revigorante, sédative, stomachique, tonique, vasodilatateur, vulnéraire.

Mélanges
Bergamote, bois de rose, camomille romaine, cèdre de l'Atlas, cyprès, lavande, mandarine/tangerine, romarin, ylang-ylang.

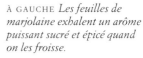

À GAUCHE *Les feuilles de marjolaine exhalent un arôme puissant sucré et épicé quand on les froisse.*

Convenablement diluée, la marjolaine ne présente aucun danger. Une utilisation excessive peut toutefois provoquer un état de somnolence. Mieux vaut l'éviter pendant la grossesse. Elle ne doit pas être utilisée pour traiter les jeunes enfants.

NOTES MÉDICALES

EFFETS SUR LA PEAU
• Efficace pour les contusions, les engelures et les tiques ; peut améliorer la circulation.
• Réchauffe et réconforte.

USAGES PSYCHOLOGIQUES ET ÉMOTIONNELS
• Apaise le système nerveux central.

• Soulage l'anxiété, le stress et peut-être des traumatismes émotionnels plus sérieux, mais peut abrutir à trop forte dose.
• Permet de faire face aux problèmes.
• Ralentit l'hyperactivité.

UTILISATION À TRAVERS LES ÂGES

🌿 Herbe médicinale très appréciée dans la Grèce antique, elle était utilisée pour calmer les spasmes musculaires et éliminer l'excédent de fluide des tissus ; c'était aussi un antidote au poison.

🌿 Les Grecs l'appelaient *orosganos*, qui signifie « joie de la montagne » ; ils en tressaient des guirlandes aux nouveaux mariés pour leur porter bonheur.

🌿 On la plantait dans les cimetières et sur les tombes pour apaiser l'âme des défunts.

🌿 Considérée comme sacrée, la plante était dédiée à Osiris en Égypte, à Vishnou et Shiva en Inde.

🌿 Dans l'Angleterre, du XIIIe siècle, les moines cultivaient la marjolaine dans leurs jardins.

🌿 La plante soignait les troubles nerveux et on la pendait dans les laiteries pour empêcher le lait de tourner.

🌿 À l'époque des Stuart, on portait sur soi de petits bouquets de marjolaine pour masquer les odeurs corporelles.

🌿 C'était un ingrédient des eaux parfumées et des poudres à priser. On ajoutait des feuilles fraîches au bain et l'huile était utilisée pour combattre insomnies, nausées et maux de tête.

🌿 Les établissements religieux l'employaient pour ses propriétés anaphrodisiaques.

À DROITE On ajoutait de la marjolaine à la poudre à priser.

USAGE DOMESTIQUE

• Soulage efficacement les articulations et muscles douloureux.
• Calme les douleurs digestives et menstruelles et a un effet régulateur sur le cycle.
• Élimine les toxines et soulage le mal de mer.
• Dilate les artères et les capillaires, et améliore la circulation, surtout à l'extrémité des membres.

• Tonique cardiaque, peut abaisser la tension.
• Fluidifie le mucus des poumons et soulage les symptômes de l'asthme, de la bronchite et de la sinusite.
• Aide à lutter contre les migraines et les insomnies.

CI-DESSUS À GAUCHE
La marjolaine a été introduite en Angleterre au Moyen Âge et cultivée par les moines dans leurs jardins.

CI-DESSUS *Essayez l'huile de marjolaine si vous êtes sujet au mal de mer.*

Géranium

PELARGONIUM GRAVEOLENS

FEUILLES DE GÉRANIUM

Le géranium est cultivé à la fois comme plante ornementale et comme produit pour les industries cosmétiques et alimentaires. Il a été employé pour soigner dysenterie, choléra et fractures ; les femmes peuvent lui trouver un effet apaisant au moment des règles et pendant la ménopause.

CI-DESSUS *Il existe plus de 700 espèces de géraniums, mais le* Pelargonium graveolens *est le plus couramment cultivé pour son huile.*

PROPRIÉTÉS

Nom de famille GÉRANIACÉES

Méthode d'extraction
Distillation à la vapeur d'eau des feuilles, des tiges et des fleurs. Un absolu et un concret peuvent également être produits.

Composants chimiques
Géranique (acide) ; géraniol, citronellol, linalol, myrténol, terpinéol (alcools) ; citral (aldéhyde) ; méthone (cétone) ; eugénol (phénol) ; sabinène (terpène).

Note
De cœur.

Arôme
Sucré mais pénétrant.

Propriétés
Analgésique, anticoagulante, antidépressive, antihémorragique, anti-inflammatoire, antiseptique, astringente, cicatrisante, cytophylactique, déodorante, diurétique, fongicide, hémostatique, hypoglycémiante, insecticide, styptique, tonique, vasoconstricteur, vermifuge, vulnéraire.

Mélanges
Angélique, basilic commun, bergamote, bois de santal, camomille romaine, cèdre de l'Atlas, citron vert, genévrier, jasmin, lavande, mandarine/tangerine, néroli, pamplemousse, patchouli, romarin, rose, sauge sclarée.

Description générale

Atteint environ 60 centimètres, présente des feuilles découpées et des fleurs roses, rouges ou blanches. Toute la plante est odorante.

Attributs et caractéristiques

Équilibrant, revigorant, roboratif, tonique.

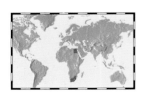

Répartition géographique
Originaire d'Afrique du Sud ; désormais cultivé partout dans le monde, principalement à La Réunion et en Égypte.

À GAUCHE *Les feuilles vertes dentelées et les petites fleurs sont extrêmement parfumées.*

À DROITE *On avait coutume de planter des géraniums autour des maisons pour protéger leurs habitants des esprits démoniaques.*

AVERTISSEMENT

Employé avec modération, le géranium ne présente aucun danger. En très grande quantité, il peut irriter les peaux sensibles.

UTILISATION À TRAVERS LES ÂGES

Parce qu'on le croyait doté de pouvoirs, le géranium était planté autour des maisons pour éloigner les esprits démoniaques. L'herbe à Robert, espèce anglaise de la même famille, était utilisée dans le même but avant l'importation du géranium.

On l'a longtemps cru capable de soigner blessures, tumeurs, choléra, dysenterie et fractures.

USAGE DOMESTIQUE

- Action équilibrante, notamment au niveau hormonal.
- Stimule la partie du cerveau responsable de la sécrétion des substances chimiques régulant la production des hormones dans l'organisme.
- Soulage le syndrome prémenstruel, les règles douloureuses et tout problème lié à la ménopause.
- Permet de réduire la rétention d'eau, l'œdème et la cellulite ; c'est aussi un stimulant du système immunitaire.
- Effet positif sur le système respiratoire, soulage les irritations de la gorge et les angines.

- Tonique du foie et des reins, l'huile débarrasse le corps de ses toxines. Elle nettoie également les muqueuses digestives et peut apporter un soutien lors d'une cure de désintoxication.
- Tonique du système circulatoire, elle fluidifie le sang.
- Exerce un effet à la fois tonique et sédatif sur le système nerveux. Extrêmement relaxante dans un bain chaud et tonifiante dans un bain tiède.
- Soulage les maux de tête.
- Éloigne les insectes.

NOTES MÉDICALES

EFFETS SUR LA PEAU

- Utile sur tous les types de peau, car elle équilibre le sébum, cette substance grasse qui entretient la souplesse de l'épiderme.
- Bon nettoyant cutané ; peut redonner de l'éclat à un teint pâle en améliorant la circulation sanguine. Également efficace contre l'acné, les pellicules, l'eczéma, les brûlures, le zona, l'herpès, la teigne, les engelures et les mycoses plantaires.
- Une seule goutte peut être appliquée directement sur la zone affectée.

USAGES PSYCHOLOGIQUES ET ÉMOTIONNELS

- Tonique du système nerveux, elle peut atténuer la dépression (surtout associée à l'huile de bergamote) et réduire le stress et la tension nerveuse.

CI-DESSOUS *L'huile de géranium peut être appliquée sur le pied pour soigner les mycoses plantaires.*

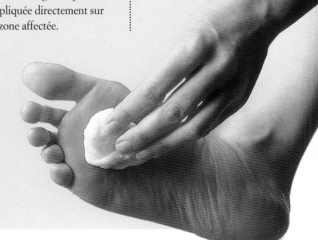

Pin sylvestre

PINUS SYLVESTRIS

CÔNE OU
« POMME DE PIN »

De par sa fraîcheur caractéristique, le pin entre dans la composition de nombreux produits de toilette, surtout ceux destinés au bain. En inhalations, il soulage asthme, rhumes et sinus bouchés. Ses propriétés reconstituantes permettent également de combattre la fatigue, notamment en période de convalescence.

CI-DESSUS *Le pin sylvestre peut atteindre 40 mètres de hauteur.*

PROPRIÉTÉS

Nom de famille **PINACÉES**

Méthode d'extraction
Distillation à la vapeur d'eau des aiguilles, cônes et brindilles.

Composants chimiques
Bornéol (alcool) ; acétate bornyle, acétate terpényle (esters) ; cadinène (sesquiterpène) ; camphène, dipentène, phellandrène, pinène, sylvestrène (terpènes).

Note
De cœur.

Arôme
Vif, frais et pur.

Propriétés
Antimicrobienne, antinévralgique, antiphylogistique, antirhumatismale, antiscorbutique, antiseptique (hépatique, pulmonaire, urinaire), antivirale, bactéricide, balsamique, cholagogue, cholérétique, décongestionnante, déodorante, diurétique, expectorante, hypotenseur, insecticide, revigorante, rubéfiante, stimulant (cérébral, circulatoire, nerveux), sudorifique, tonique, vermifuge.

Mélanges
Arbre à thé, cèdre de l'Atlas, cyprès, eucalyptus, lavande, myrte, niaouli, romarin.

Description générale

Grand arbre à écorce brun-rouge, portant des aiguilles gris-vert persistantes, des « pommes » brunes et coniques, et des chatons jaunes.

Attributs et caractéristiques

Antiseptique, évocateur, réconfortant et stimulant.

Répartition géographique
Nord de l'Europe, Nord-Est de la Russie, Est des États-Unis, Scandinavie.

CÔNE

À GAUCHE *L'huile de pin sylvestre est distillée à partir des aiguilles, des cônes et des brindilles.*

UTILISATION À TRAVERS LES ÂGES

CI-DESSUS *Les Indiens d'Amérique buvaient des infusions d'aiguilles de pin pour se préserver du scorbut.*

À l'époque antique, Égyptiens, Grecs et Arabes l'associaient à leurs cérémonies religieuses ; ils l'utilisaient pour soigner les affections pulmonaires telles que bronchite, tuberculose et pneumonie, et pour soulager les douleurs musculaires.

Jadis, on brûlait des aiguilles de pin pour éviter les infections et éloigner les insectes.

Les Romains confectionnaient du pain aux pignons de pin, aux vertus reconstituantes.

Dans les Alpes suisses, on utilise toujours des matelas d'aiguilles de pin pour soulager les rhumatismes.

Les Indiens d'Amérique préparaient une boisson à base d'aiguilles de pin pour prévenir le scorbut ; ils les utilisaient également pour en garnir leurs matelas afin d'éloigner poux et puces. Les brindilles, mélangées à du bois de cèdre et de genévrier, servaient d'encens purificateur.

Les branches de pin sont utilisées dans les saunas scandinaves.

L'huile de pin est souvent mélangée à des huiles pour le bain et à des bains moussants pour sa senteur fraîche et ses propriétés antirhumatismales et antinévralgiques.

AVERTISSEMENT

Certaines huiles, tirées d'autres variétés de pins, peuvent être toxiques ; vérifiez donc toujours le nom botanique. Évitez absolument l'huile de *Pinus pumilio*.

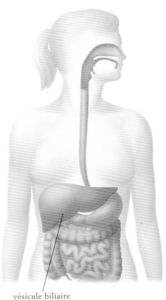

vésicule biliaire

CI-DESSUS *L'huile atténue l'inflammation de la vésicule biliaire et les conséquences des calculs biliaires.*

NOTES MÉDICALES

EFFETS SUR LA PEAU
- Peut avoir un effet positif sur l'eczéma, le psoriasis et les peaux congestionnées.
- Efficace sur les mycoses plantaires, les coupures, les irritations, la gale et les écorchures.

USAGES PSYCHOLOGIQUES ET ÉMOTIONNELS
- Rafraîchit l'esprit.
- Combat les sensations de lassitude et de doute.
- Soulage la fatigue, l'épuisement nerveux et les névralgies.
- L'arôme du pin évoque l'immensité des forêts nordiques et procure ainsi une sensation de liberté.

USAGE DOMESTIQUE

AVERTISSEMENT

Ne pas appliquer d'huile de pin sylvestre sur une peau sensible et sur celle des enfants et des personnes âgées. À éviter également si votre tension est élevée, car c'est un hypertenseur léger.

- Antiseptique puissant.
- Soulage les affections pulmonaires.
- Aide à reprendre son souffle et dégage les sinus.
- Nettoie les reins et peut donc être efficace contre la cystite, l'hépatite et les problèmes de prostate.

- Stimule les glandes surrénales et permet ainsi de revitaliser l'organisme.
- Réchauffe ou rafraîchit, selon les besoins de l'organisme.
- Réduit les excès de transpiration et stimule la circulation.

- Grâce à ses propriétés réchauffantes, l'huile soulage rhumatismes, sciatique et arthrose.
- Aide les digestions difficiles.
- Affinité avec les systèmes de reproduction masculin et féminin.

FEUILLE DE PATCHOULI

Patchouli

POGOSTEMON CABLIN

Originaire d'Asie tropicale, le patchouli est cultivé de manière intensive pour sa production d'huile. En Orient, on utilise ses propriétés antimicrobiennes, antiseptiques et antivirales pour enrayer la propagation des maladies. La plante sert également d'antidote aux morsures de serpents.

CI-DESSUS *Le patchouli exhale un parfum oriental prononcé, musqué et épicé.*

Description générale
Buisson aux feuilles duveteuses et aux fleurs blanches et violacées, qui épuise rapidement les éléments nutritifs contenus dans le sol.

Attributs et caractéristiques
Antiseptique, aphrodisiaque, déodorant, roboratif, tonique du système nerveux.

Répartition géographique
Inde, Philippines, Chine, Malaisie, Paraguay.

PROPRIÉTÉS

Nom de famille **LAMIACÉES (LABIÉES)**

Méthode d'extraction
Distillation à la vapeur d'eau des feuilles séchées et fermentées. On obtient également un résinoïde utilisé essentiellement comme fixatif.

Composants chimiques
Patchoulol (alcool); benzoïque, cinnamique (aldéhydes) ; eugénol (phénol) ; cadinène (sesquiterpène).

Note
De fond.

Arôme
Terreux, riche, épicé et tenace. Se bonifie avec l'âge.

Propriétés
Antidépressive, antiémétique, anti-inflammatoire, antimicrobienne, antiphylogistique, antiseptique, antitoxique, antivirale, aphrodisiaque, astringente, carminative, cicatrisante, cytophylactique, déodorante, diurétique, fébrifuge, fongicide, insecticide, nervine, prophylactique, sédative, stimulant (nerveux), stomachique, tonique.

Mélanges
Bergamote, bois de rose, bois de santal, cèdre de l'Atlas, géranium, gingembre, lavande, lemon-grass, myrrhe, néroli, oliban, pin sylvestre, rose, sauge sclarée, vétiver.

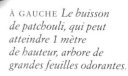

À GAUCHE *Le buisson de patchouli, qui peut atteindre 1 mètre de hauteur, arbore de grandes feuilles odorantes.*

CI-DESSUS *Le patchouli a été introduit en Angleterre dans les années 1820, avec l'importation de tissus indiens.*

À DROITE *Dans les années 1960, l'huile de patchouli a connu une nouvelle vogue en tant que parfum.*

UTILISATION À TRAVERS LES ÂGES

Le mot « patchouli » est originaire d'Inde. Pendant longtemps en Asie, les propriétés médicinales de l'huile ont été exploitées pour soigner nausées, maux de tête, coups de froid, vomissements, diarrhées, douleurs abdominales et mauvaise haleine.

Antiseptique et antimicrobienne, elle peut enrayer maladies et infections.

C'est un antidote connu aux piqûres d'insectes et morsures de serpents.

Le patchouli devint célèbre en Angleterre autour de 1820, lorsque la mode s'intéressa aux étoffes importées d'Inde.

Les châles à motifs cachemire étaient parfumés avec du patchouli pour accentuer leur côté exotique.

Depuis le XIXe siècle, on glisse des feuilles de patchouli dans les vêtements et entre les piles de linge pour les protéger des mites.

AVERTISSEMENT

Le patchouli est stimulant en petite quantité, mais sédatif en quantité plus importante. Il peut provoquer une perte d'appétit. Son arôme extrêmement puissant peut être associé à une grande variété d'huiles. Comme pour les autres huiles, ne l'utilisez pas si vous trouvez son odeur désagréable.

USAGE DOMESTIQUE

• L'huile est conseillée pour perdre du poids, car elle réduit l'appétit (en usage externe uniquement).

• Raffermit les peaux distendues après une perte de poids rapide ou excessive.

• Constipant naturel, l'huile soulage la diarrhée.

• Diurétique, elle peut intervenir pour limiter la cellulite et la rétention d'eau.

• Antisudorifique et déodorant naturel.

• Effet équilibrant sur la libido, probablement lié à son action sur le système endocrinien.

NOTES MÉDICALES

EFFETS SUR LA PEAU
• Apaise les inflammations et soigne les peaux craquelées et sèches, les écorchures et les blessures.
• Soulage l'acné, l'eczéma purulent, les mycoses plantaires, les infections fongiques, le psoriasis et les problèmes de cuir chevelu, comme par exemple les pellicules.

• Peut équilibrer les peaux et cheveux gras.
• Grâce à ses propriétés régénératrices, l'huile favorise la cicatrisation des tissus et donc le renouvellement des cellules cutanées.

USAGES PSYCHOLOGIQUES ET ÉMOTIONNELS
• Action équilibrante.

• Renforce et stimule le système nerveux si elle est utilisée avec modération, mais sédative à haute dose.
• Augmente la clairvoyance et l'objectivité.
• Efficace contre la dépression, la frigidité, l'anxiété et tous les troubles liés au stress.

PÉTALES DE ROSE

Rose

ROSA CENTIFOLIA OU ROSA DAMASCENA

On a trouvé des vestiges de roses dans des tombes égyptiennes et une rose rouge, peinte il y a 4 000 ans, orne les murs du palais de Knossos en Crète. Ce fut peut-être le premier végétal distillé par Avicenne au cours de ses expérimentations alchimiques. La rose est toujours symbole d'amour et de pureté.

CI-DESSUS *L'huile essentielle de rose est extraite des pétales frais, délicieusement parfumés.*

Description générale

Arbuste épineux portant des feuilles vert foncé et des fleurs délicatement parfumées. Les variétés utilisées pour la fabrication de l'huile sont de couleur rose.

Attributs et caractéristiques

Aphrodisiaque, stimulant, tonique cardiaque.

Répartition géographique

Dans le monde entier, mais cultivée surtout en France, au Maroc, en Bulgarie, en Chine et en Inde pour la production d'huile.

PROPRIÉTÉS

Nom de famille **ROSACÉES**

Méthode d'extraction
Distillation à la vapeur d'eau des pétales frais ; plusieurs méthodes d'extraction par solvant et enfleurage.

Composants chimiques
Géranique (acide) ; citronellol, farnésol, géraniol, nérol (alcools) ; eugénol (phénol) ; myrcène (terpène).

Note
De cœur à de fond.

Arôme
Exquis, profond, riche et fleuri.

Propriétés
Antidépressive, antiphylogistique, antiseptique, antispasmodique, antivirale, aphrodisiaque, astringente, bactéricide, cholagogue, cholérétique, cicatrisante, dépurative, diurétique, emménagogue, hémostatique, hépatique, laxative, sédative, splénétique, stomachique, tonique.

Mélanges
Bergamote, bois de santal, camomille romaine, géranium, jasmin, lavande, mandarine/tangerine, néroli, patchouli, sauge sclarée, ylang-ylang.

À GAUCHE *Le rosier arbore des fleurs au parfum attirant.*

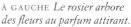

HUILE DE ROSE

NOTES MÉDICALES

EFFETS
SUR LA PEAU

• Convient à tous les types de peau, surtout les peaux vieillissantes, épaisses, sèches ou sensibles.

USAGES
PSYCHOLOGIQUES
ET ÉMOTIONNELS

• Apaise le chagrin, la jalousie, le ressentiment, la colère et la dépression.
• Sédatif et antidépresseur léger, efficace en périodes de choc, de deuil et de mélancolie.
• Soulage la tension nerveuse et le stress, met du baume au cœur.
• Huile très féminine, elle est idéale pour les problèmes relationnels ou d'identité.

UTILISATION À TRAVERS LES ÂGES

✿ Les Romains répandaient des pétales de rose à l'occasion des banquets et les portaient en guirlandes pour empêcher l'ébriété. Ils les utilisaient également lors des mariages et des funérailles.

✿ Diverses légendes rapportent que la rose serait née du sang d'Adonis, de Vénus ou de Mahomet.

✿ Les guerriers perses ornaient leur bouclier de roses rouges.

✿ Pendant longtemps, la rose a favorisé la méditation et la contemplation.

✿ Les soufis considèrent traditionnellement la rose comme un symbole du désir transcendental.

✿ La rose est la représentation chrétienne de l'amour divin et le symbole de l'ordre de la Rose-Croix.

✿ Saint Dominique (1170-1221) aurait été visité par la Vierge Marie au cours d'une expérience mystique et aurait reçu le premier rosaire, parfumé à l'odeur de rose.

✿ Au Moyen Âge, la *Rosa gallica*, ou rose des apothicaires, entrait dans la composition de baumes médicinaux pour soigner les maladies pulmonaires et l'asthme.

✿ Les aliments aromatisés à la rose étaient très appréciés à l'époque élisabéthaine.

AVERTISSEMENT

À éviter pendant les quatre premiers mois de la grossesse.

CI-DESSOUS *Dans de nombreuses cultures, la rose représente l'amour charnel. C'est aussi la fleur des amoureux et du mariage.*

CI-DESSUS À DROITE *Selon la légende, Cléopâtre aurait porté de l'huile de rose lors de sa première rencontre avec Marc Antoine pour s'en faire aimer.*

USAGE DOMESTIQUE

• Tonique de l'utérus, l'huile soulage le syndrome prémenstruel et régule le cycle menstruel.
• Dissipe l'anxiété provoquée par la frigidité et l'impuissance.
• Tonifie les capillaires, stimule la circulation sanguine et contribue à éliminer toute forme de congestion.
• Équilibre et renforce le système digestif.
• Soulage nausées, vomissements et constipation.
• Action purgative sur les toxines et les déchets.
• Adoucit les irritations de la gorge et calme la toux.

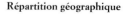

Romarin

ROSMARINUS OFFICINALIS

Dans l'Antiquité, le romarin était considéré comme une plante sacrée capable d'apporter la paix aux vivants et aux morts. En Asie, il était planté sur les tombes afin que l'aide et les conseils des ancêtres se transmettent aux vivants. Pour se protéger de la peste, on s'accrochait des petits sachets de romarin autour du cou.

CI-DESSUS *Grâce à son parfum agréable, le romarin a sa place dans tous les jardins d'herbes aromatiques.*

Description générale

Arbuste aux feuilles gris-vert en forme d'aiguilles, arborant des fleurs bleu pâle ou lilas. Il prospère à proximité de la mer (son nom générique latin *Rosmarinus* signifie « rosée de la mer »). Toute la plante est aromatique.

Attributs et caractéristiques

Analgésique, protecteur, purifiant, rafraîchissant, stimulant.

À DROITE *Le romarin est une plante vivace vigoureuse qui atteint 1 à 2 mètres de hauteur.*

PROPRIÉTÉS

Nom de famille AMIACÉES (LABIÉES)

Méthode d'extraction
Distillation à la vapeur d'eau des sommités fleuries et des feuilles.

Composants chimiques
Bornéol (alcool) ; cuminique (aldéhyde) ; acétate bornyle (ester) ; camphre, cinéole (cétones) ; caryophyllène (sesquiterpène) ; camphène, pinène (terpènes).

Note
De cœur.

Arôme
Fort, pur, rafraîchissant et mentholé/herbacé.

Propriétés
Analgésique, antidépressive, antimicrobienne, antioxydante, antirhumatismale, antiseptique, antispasmodique, aphrodisiaque, astringente, carminative, céphalique, cholagogue, cholérétique, cicatrisante, cordiale, cytophylactique, digestive, diurétique, emménagogue, fongicide, hépatique, hypertenseur, nervine, parasiticide, résolutive, revigorante, rubéfiante, stimulante, stomachique, sudorifique, tonique, vulnéraire.

Mélanges
Basilic commun, cèdre de l'Atlas, citron vert, géranium, gingembre, lemongrass, mandarine/tangerine, mélisse/citronnelle, myrte, oliban, pamplemousse.

Répartition géographique
Désormais cultivé dans le monde entier, mais la majeure partie de l'huile est produite au Maroc, en France et en Espagne.

UTILISATION À TRAVERS LES ÂGES

Les Égyptiens l'utilisaient comme encens pendant leurs rituels de purification. On en a trouvé des traces dans des tombes datant de la Première Dynastie.

Les jeunes étudiants grecs tressaient des branches de romarin dans leurs cheveux pendant leurs révisons.

Selon la légende, les fleurs, blanches à l'origine, seraient devenues bleues après que la Vierge Marie, pendant la fuite en Égypte, eut étendu son manteau sur un buisson de romarin.

Doña Isabella, reine de Hongrie, en avait fait l'ingrédient d'un tonique revitalisant pour le visage (également à base de citron, rose, néroli, mélisse et menthe poivrée). Cette « eau de la reine de Hongrie » fut commercialisée au cours du XIVe siècle.

En France, pendant les épidémies, on brûlait du romarin dans les hôpitaux en vertu de ses propriétés antiseptiques ; il servait également d'encens dans les églises.

En Angleterre, on en portait autour du cou pour éviter les coups de froid, et enroulé autour du bras droit pour se donner du courage. Des feuilles séchées, placées sous l'oreiller (surtout dans les chambres d'enfants), avaient le pouvoir de conjurer les cauchemars.

CI-DESSUS *Selon la légende, le romarin aurait abrité la Vierge Marie pendant sa fuite en Égypte.*

AVERTISSEMENT

À éviter pendant la grossesse, si vous êtes sujet à des crises d'épilepsie ou si votre tension est élevée. N'appliquez pas directement sur ou en dessous des varices.

CI-DESSOUS *Les tombes de l'ancienne Égypte témoignent de l'utilisation du romarin dans les rituels de purification.*

NOTES MÉDICALES

EFFETS SUR LA PEAU

• Grâce à son action astringente, raffermit les peaux distendues.
• Efficace contre l'acné, les pellicules, les peaux et les cheveux gras, les varices ; favorise la pousse des cheveux.

USAGES PSYCHOLOGIQUES ET ÉMOTIONNELS

• Dynamise et stimule le système nerveux central.
• Éclaircit les idées.
• Combat la léthargie.
• Réveille la mémoire.
• Revigore et stimule.

USAGE DOMESTIQUE

• Dissipe maux de tête et migraines, surtout quand ils sont liés à des désordres gastriques.
• L'huile soulage les muscles douloureux et fatigués, surtout associée à la marjolaine.
• Tonique et stimulant cardiaque, elle fait remonter une tension trop faible.
• Efficace contre les infections respiratoires et pulmonaires.

• Décongestionne le foie et soulage hépatites et cirrhoses.
• Apaise aussi la jaunisse et les calculs biliaires.
• Soigne engelures, goutte et rhumatismes, et calme les problèmes digestifs.
• Agit positivement sur l'anémie.
• Efficace contre la cellulite et l'œdème.
• Élimine la rétention d'eau, régularise les règles peu abondantes et soulage les crampes.

Sauge sclarée

SALVIA SCLAREA

Bien que possédant des propriétés similaires à celles de la sauge commune, la sauge sclarée est toutefois moins toxique. On l'utilise couramment en aromathérapie dans le traitement des problèmes menstruels, notamment pendant la ménopause. Elle est également efficace contre les infections respiratoires et de la gorge.

CI-DESSUS *La sauge sclarée est une plante bisannuelle ou vivace avec de grandes feuilles plissées et des fleurs mauve pâle ou blanches.*

Description générale

Plante aux fleurs blanches ou mauve pâle dont les pétales se terminent en pointes dures (*skeria* en grec signifie « dureté ») et aux grandes feuilles plissées disposées sur une tige rosâtre. Elle peut atteindre environ 1 mètre de hauteur.

Attributs et caractéristiques

Aphrodisiaque, équilibrant, euphorisant, sédatif, tonique.

Répartition géographique

Cultivée dans le monde entier. Les meilleures huiles sont produites en France, en Angleterre et au Maroc.

PROPRIÉTÉS

Nom de famille **LABIÉES**

Méthode d'extraction
Distillation à la vapeur d'eau des parties vertes et des fleurs.

Composants chimiques
Linalol, salviol (alcools) ; acétate lynalyle (ester) ; cinéole (cétone) ; caryophyllène (sesquiterpène).

Note
De tête à de cœur.

Arôme
Odeur de noisette, forte et lourde.

Propriétés
Anticonvulsive, antidépressive, antiphylogistique, antiseptique, antispasmodique, antisudorifique, aphrodisiaque, astringente, bactéricide, balsamique, carminative, cicatrisante, déodorante, digestive, emménagogue, hypotenseur, nervine, parturiante, sédative, stomachique, tonique, utérine.

Mélanges
Bergamote, bois de santal, cèdre de l'Atlas, citron vert, cyprès, genévrier, géranium, jasmin, lavande, oliban, pamplemousse.

À GAUCHE *Les petites fleurs mauves de la sauge sclarée durent longtemps.*

UTILISATION À TRAVERS LES ÂGES

Dans l'Angleterre du XVIᵉ siècle, la sauge sclarée remplaçait le houblon dans le brassage de la bière. En Allemagne, elle servait dans la fabrication des vins, pour en augmenter la teneur en alcool.

La sauge était déjà connue de l'ancienne Égypte comme plante médicinale prescrite dans le traitement de la stérilité. Grecs et Romains pensaient qu'elle était gage de longue vie.

Au Moyen Âge, elle était connue sous le nom latin d'*oculus Christi*, qui signifie « l'œil du Christ ».

« Sclarée » vient du latin *clarus* « clair » et autrefois, on utilisait l'herbe elle-même (et non l'huile) pour nettoyer les yeux.

« Salvia » vient du latin *salvaro* ou *salveo*, qui signifie « sauver », ce qui explique sa réputation d'« élixir universel ».

L'huile de sauge sclarée possède des propriétés similaires à celles de la sauge commune, mais s'avère beaucoup moins toxique. Ne vous trompez pas en achetant votre huile.

NOTES MÉDICALES

EFFETS

SUR LA PEAU
• Possède des vertus régénératrices et favorise la pousse des cheveux.
• Limite aussi la production de sébum et a un effet positif sur les cheveux gras et les pellicules.

USAGES PSYCHOLOGIQUES ET ÉMOTIONNELS
• Peut être à l'origine de rêves très précis et en favoriser le souvenir.
• Peut aussi procurer une sensation d'euphorie, mais à plus forte dose a des effets narcotiques et provoque la somnolence.
• Dissipe l'anxiété dans toutes les situations de stress.

AVERTISSEMENT

À éviter pendant la grossesse, mais peut s'avérer très efficace une fois le travail de l'accouchement bien avancé.

USAGE DOMESTIQUE

• Possède des affinités avec les organes de reproduction et équilibre le système endocrinien.
• Soulage le syndrome prémenstruel, les règles douloureuses ainsi que les spasmes musculaires, courbatures, raideurs et crampes.
• Peut aider à affronter les problèmes rencontrés au cours de la ménopause.
• Tonique utérin et analgésique, l'huile peut être très efficace à un stade avancé de l'accouchement, mais ne doit pas être utilisée prématurément.
• Efficace contre les irritations de la gorge et les infections respiratoires ; apaise les inflammations cutanées et tonifie les visages bouffis.
• Soulage les problèmes digestifs, les flatulences et les maux de tête, y compris les migraines.

CI-DESSUS L'huile de sauge sclarée peut intervenir dans le traitement des problèmes liés à la ménopause.

AVERTISSEMENT

Très sédative, elle peut rendre la concentration difficile. Des doses trop élevées risquent de provoquer des maux de tête. À éviter avant de prendre la voiture. Associée à l'alcool, elle peut déclencher des nausées.

Bois de santal

SANTALUM ALBUM

COPEAUX DE BOIS
DE SANTAL

HUILE DE BOIS DE
SANTAL

Originaire d'Asie tropicale, le bois de santal a été utilisé partout en Orient comme encens, cosmétique et parfum, et lors de l'embaumement des morts. Il a également servi à la construction des temples. Aujourd'hui, l'espèce est presque éteinte et les arbres sont désormais cultivés dans des plantations pour la seule production de l'huile.

CI-DESSUS *Il faut attendre que l'arbre ait environ trente ans avant d'en extraire l'huile.*

PROPRIÉTÉS

Nom de famille SANTALACÉES

Méthode d'extraction
Distillation à la vapeur d'eau des racines et du cœur du bois, séchés et réduits en poudre.

Composants chimiques
Santalol (alcool) ; furfurol (aldéhyde) ; santalène (sesquiterpène).

Note
De fond.

Arôme
Profond, boisé, fruité et exotique.

Propriétés
Antidépressive, antiphylogistique, antiseptique (urinaire et pulmonaire), antispasmodique, aphrodisiaque, astringente, bactéricide, béchique, carminative, cicatrisante, diurétique, émolliente, expectorante, fongicide, insecticide, sédative, tonique.

Mélanges
Basilic commun, bergamote, citron, cyprès, géranium, jasmin, lavande, myrrhe, néroli, oliban, rose, vétiver, ylang-ylang.

Description générale

C'est un arbre à feuilles persistantes qui plonge ses racines dans d'autres arbres. Il présente un tronc brun, des branches lisses et minces, et des fleurs roses.

Attributs et caractéristiques

Aphrodisiaque, purifiant, relaxant, élève l'esprit.

CI-DESSOUS *Le bois de santal, abondamment utilisé dans la confection de produits de beauté, exhale un parfum sensuel et oriental.*

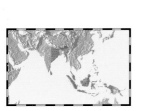

Répartition géographique
Inde orientale (Mysore),
Taiwan, Malaisie,
Sri Lanka, Indonésie.

AVERTISSEMENT

Le parfum du bois de santal imprègne les vêtements et résiste même au lavage.

USAGE DOMESTIQUE

• Affinité avec les voies urinaires.
• Peut être appliquée en massage (mélangée à une huile de support) sur la région des reins pour soulager une inflammation ou une cystite.
• Efficace contre les irritations de la gorge et les infections pulmonaires, notamment celles causées par des staphylocoques et des streptocoques.

CI-DESSOUS *Pour combattre l'infection et soulager les maux de gorge, appliquez un peu d'huile pure sur les ganglions lymphatiques.*

• Stimule le système immunitaire.
• Une goutte d'huile pure peut être appliquée sur les glandes lymphatiques placées sous le menton si elles enflent pendant l'infection, et pour soulager les irritations de la gorge.
• Peut avoir des affinités avec les organes reproducteurs.
• Produit une substance similaire à l'androstérone, une hormone mâle, signal sexuel, sécrétée au niveau des aisselles.
• Efficace contre les brûlures d'estomac et les diarrhées.

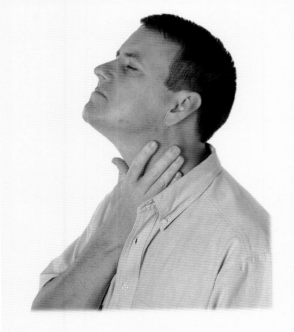

UTILISATION À TRAVERS LES ÂGES

❀ En Inde, beaucoup de temples anciens sont construits en bois de santal, peut-être parce qu'il éloigne les termites.

❀ Il est mentionné dans les plus anciens textes védiques qui remontent au Ve siècle avant Jésus-Christ.

❀ On l'utilise depuis au moins 4 000 ans pour favoriser la méditation.

❀ Le dernier jour de l'année, les Hindous l'utilisent lors d'une cérémonie de purification. Le santal est également associé à la rose pour obtenir le célèbre parfum aytar.

❀ Les Égyptiens s'en servaient dans le processus d'embaumement des défunts.

❀ En médecine chinoise, on l'utilise pour soigner maux d'estomac, vomissements, blennorragies et affections cutanées.

❀ Dans la médecine ayurvédique, c'est un remède contre les infections urinaires et respiratoires, qui soigne aussi les diarrhées.

❀ La philosophie tantrique le recommande pour réveiller la kundalini, ou énergie dormante à la base de l'épine dorsale.

❀ Les Japonais le brûlent à l'occasion de cérémonies shintoïstes et dans les temples bouddhistes.

❀ La médecine tibétaine l'utilise pour traiter l'insomnie et l'anxiété.

❀ Dans les pays musulmans, on le brûle aux pieds des défunts pour que leur âme gagne rapidement le paradis.

À DROITE *Le bois de santal est brûlé en offrande dans les temples bouddhistes.*

NOTES MÉDICALES

EFFETS SUR LA PEAU
• Action équilibrante et anti-inflammatoire sur les eczémas secs, les furoncles et l'acné.
• Adoucit les peaux sèches et vieillissantes.
• Soulage les démangeaisons, surtout le feu du rasoir, et s'avère efficace contre les pellicules.

USAGES PSYCHOLOGIQUES ET ÉMOTIONNELS
• Aphrodisiaque, l'huile dissipe l'anxiété qui peut entraîner impuissance ou frigidité.
• Apaise le système nerveux et les angoisses.
• Peut aider à tourner le dos au passé et à conjurer les obsessions.

Vétiver

VETIVERIA ZIZANOIDES

Le nom commun de cette plante provient du mot tamoul vetiverr, *qui signifie*
« coupé à la hachette », en référence à la méthode de moissonnage. On le cultive
en Inde pour prévenir l'érosion du sol pendant la saison des pluies. En Orient,
la plante est utilisée pour protéger les animaux domestiques des parasites.

CI-DESSUS *Originaire d'Inde, d'Indonésie*
et du Sri Lanka, le vétiver est cultivé
partout sous les tropiques.

PROPRIÉTÉS

Nom de famille POACÉES (GRAMINÉES)

Méthode d'extraction
Distillation à la vapeur d'eau
des racines. L'extraction par
solvant donne un résinoïde,
utilisé uniquement en
parfumerie.

Composants chimiques
Benzoïque (acide) ; vétivérol
(alcool) ; furfurol (aldéhyde) ;
vétivone (cétone) ; vétivène
(sesquiterpène).

Note
De fond.

Arôme
Profond, fumé, terreux
et boisé.

Propriétés
Antiseptique,
antispasmodique,
aphrodisiaque, nervine,
rubéfiante, sédatif (système
nerveux), stimulant
(circulatoire), tonique,
vermifuge.

Mélanges
Bois de rose, bois de santal,
géranium, jasmin, lavande,
oliban, pamplemousse,
patchouli, rose, ylang-ylang.

Description générale
Grande herbe sauvage, vivace et aromatique
formant des touffes denses, avec une tige
droite, de longues feuilles étroites et un
réseau souterrain de petites racines
blanches, jaunes ou brun rougeâtre.

Attributs et caractéristiques
Apaisant, calmant, équilibrant,
protecteur, roboratif, tonique.

À GAUCHE *Le vétiver est une*
grande herbe au parfum sucré,
chaud et terreux.

HUILE DE VÉTIVER

Répartition géographique
Java, Haïti, La Réunion, Japon,
Indonésie, contreforts
de l'Himalaya, Sud de l'Inde,
Sri Lanka.

USAGE DOMESTIQUE

• Renforce les globules rouges et facilite la circulation de l'oxygène dans l'organisme.
• Soulage rhumatismes, arthrose, douleurs musculaires, entorses et raideurs ; tonique des organes reproducteurs.
• Éloigne les insectes.

CI-DESSOUS À GAUCHE *L'huile de vétiver s'avère très efficace pour chasser les insectes.*

CI-DESSUS *Les paysans d'Haïti utilisent la plante pour couvrir leur maison.*

UTILISATION À TRAVERS LES ÂGES

Connue sous le nom d'« huile de la tranquillité » en Inde et au Sri Lanka. À Calcutta, l'herbe sert à fabriquer des auvents et des parasols qui dégagent une odeur agréable si on les asperge d'eau par temps chaud. Elle sert aussi à confectionner des éventails.

Les textes sanskrits rapportent que les jeunes mariées étaient ointes d'huile de vétiver.

En médecine ayurvédique, on utilise les racines et l'huile pour soigner maux de tête, insolations et fièvres.

En Russie, des sachets imprégnés d'huile étaient cousus dans la doublure des manteaux de fourrure.

À Java, la plante servait à tisser des tapis et à couvrir les huttes ; en Haïti, les indigènes l'utilisent pour fabriquer des toits.

Un parfum européen jadis célèbre, baptisé Mousseline des Indes, contenait du vétiver, du bois de santal et de la rose.

Des sachets de racines de vétiver en poudre, des bottes aromatiques, ainsi que des moustiquaires confectionnées avec les brins de l'herbe, connus sous le nom de *khus khus*, servent à éloigner mites et insectes des mousselines.

Avant la Seconde Guerre mondiale, Java exportait des racines de vétiver en Europe. Aujourd'hui, elles sont distillées sur place et connues sous le nom de *akar wangi*, ou « racines parfumées ».

En Inde, on le plante pour prévenir l'érosion du sol pendant la saison des pluies.

CONSEIL

L'huile de vétiver est non toxique, non irritante et non sensibilisante.

NOTES MÉDICALES

EFFETS SUR LA PEAU
• Peut s'utiliser pour soigner l'acné, les coupures, les peaux grasses et les blessures.

USAGES PSYCHOLOGIQUES ET ÉMOTIONNELS
• Huile profondément relaxante recommandée à tous ceux qui ont besoin de canaliser leur énergie.

• Équilibre le système nerveux central et peut aider à réduire une dépendance aux tranquillisants.
• Peut soulager des problèmes psychologiques profonds.
• Efficace contre l'épuisement mental et physique, l'insomnie, la dépression et l'anxiété.

GINGEMBRE MOULU

Gingembre

ZINGIBER OFFICINALE

Pendant des milliers d'années, le gingembre a servi de remède et d'aphrodisiaque, notamment en Orient. La médecine chinoise l'utilise pour soigner bon nombre d'affections et il entre dans la composition de multiples préparations médicinales. Il figurait également dans la pharmacopée gréco-latine.

CI-DESSUS *Le gingembre est cultivé sous les tropiques et ses racines sont récoltées à l'automne.*

PROPRIÉTÉS

Nom de famille **ZINGIBÉRACÉES**

Méthode d'extraction
Distillation à la vapeur d'eau du rhizome.
Un absolu et un résinoïde sont également produits pour l'industrie du parfum.

Composants chimiques
Bornéol (alcool) ; citral (aldéhyde) ; cinéole (cétone) ; zingibérène (sesquiterpène) ; camphène, limonène, phellandrène (terpènes).

Note
De tête.

Arôme
À la fois poivré, chaud et épicé, mais aussi frais et agréable.

Propriétés
Analgésique, antiémétique, antioxydante, antiscorbutique, antiseptique, antispasmodique, antitussive, apéritive, aphrodisiaque, carminative, céphalique, expectorante, fébrifuge, laxative, rubéfiante, stimulante, stomachique, sudorifique, tonique.

Mélanges
Bois de santal, camomille romaine, cèdre de l'Atlas, citron, citron vert, eucalyptus, géranium, mandarine/tangerine, néroli, oliban, patchouli, romarin, rose, vétiver.

Description générale
Plante vivace caractérisée par un rhizome épais et aromatique, et dont la tige porte des fleurs blanches ou jaunes et d'étroites feuilles vert foncé.

Attributs et caractéristiques
Aphrodisiaque, régulateur de la transpiration, stimulant de l'appétit. Son action peut être à la fois réchauffante et rafraîchissante.

Répartition géographique
Inde, Malaisie, Afrique, États-Unis, Antilles et zones tropicales.

À DROITE *Le gingembre est une plante vivace aux épaisses racines tubulaires.*

UTILISATION À TRAVERS LES ÂGES

🌿 Au fil des siècles, la racine séchée du gingembre est devenue un condiment apprécié ; on l'a utilisée pour sa saveur, son odeur et ses vertus curatives contre la malaria.

🌿 La médecine chinoise traditionnelle utilise le gingembre frais pour fluidifier les mucosités et tonifier le cœur ; contre les rhumatismes, les maux de dents et toutes les affections liées à un excès d'humidité.

🌿 Au Moyen Âge, il a été importé en Europe par la Route des Épices et était recherché pendant les épidémies de peste pour ses propriétés anti-infectieuses.

🌿 Les Grecs l'appelaient *ziggiber* et l'utilisaient pour sa capacité à réchauffer l'estomac et comme contrepoison.

🌿 Son nom viendrait de la région de Gingi, en Inde, où l'on boit du thé au gingembre pour soigner les maux d'estomac.

USAGE DOMESTIQUE

• Assèche l'excès d'humidité des sécrétions nasales et des expectorations ; soulage les maux de gorge et la sinusite.
• Enraye les affections dues à l'humidité ; l'huile peut également être employée pour traiter les états fébriles en favorisant la transpiration.
• Efficace contre l'œdème et les rhumatismes, là où la chaleur est nécessaire.
• Tonifie et stabilise le système digestif, et stimule l'appétit. En inhalations, soulage également les nausées matinales au cours de la grossesse et le mal des transports.
• Stimule la circulation et apaise l'angine.

CI-DESSUS *En massage, l'huile de gingembre soulage les douleurs musculaires.*

• En massage ou en compresses, calme l'arthrose, les douleurs musculaires, y compris crampes et spasmes, ainsi que les entorses et les étirements, notamment dans la région du dos.

AVERTISSEMENT

Si vous avez une peau sensible, veillez à diluer soigneusement cette huile avant de l'utiliser en massage ou de l'ajouter à votre bain.

NOTES MÉDICALES

EFFETS SUR LA PEAU

• Atténue les engelures, équilibre le niveau de cholestérol dans le sang et, dans une certaine mesure, soulage les varices et veines variqueuses.
• S'emploie sur les bleus, les plaies et les furoncles.

USAGES PSYCHOLOGIQUES ET ÉMOTIONNELS

• Réconfortante, réchauffante et roborative.
• Aiguise les sens et la mémoire.
• À la fois stimulante et équilibrante.
• Puissant tonique nerveux, l'huile est efficace contre le surmenage, surtout associée à d'autres huiles.

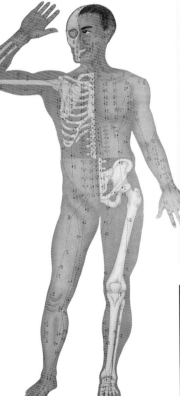

CI-DESSUS *Le gingembre frais est couramment utilisé dans la médecine chinoise traditionnelle.*

À DROITE *Le gingembre soulage les nausées matinales pendant la grossesse.*

L'aromathérapie à la maison

VOUS ALLEZ *découvrir dans ce chapitre la description de diverses affections, ainsi que la liste des huiles essentielles à utiliser pour les traiter. En vous familiarisant avec les propriétés de chacune, vous serez mieux à même de choisir l'huile adaptée à votre cas. Les huiles essentielles n'agissent pas de la même manière que les médicaments allopathiques : les symptômes extérieurs ne sont pas les seuls paramètres à considérer quand il s'agit d'identifier l'huile ou la combinaison d'huiles appropriée. Le tempérament et l'état émotionnel du sujet ont tout autant d'importance. Vous allez littéralement marier le caractère et l'état d'un individu avec le caractère et les vertus curatives d'une plante.*

CI-DESSUS *Avec un morceau de coton, appliquez une crème contenant une petite quantité d'huile sur une peau sèche, grasse ou mixte.*

L'aromathérapie peut contribuer à soulager les affections décrites ci-après et groupées dans les catégories suivantes : cheveux et cuir chevelu, peau, systèmes circulatoire, respiratoire et génito-urinaire, muscles et articulations, premiers secours et enfin, stress et mode de vie.

Faites plusieurs tentatives afin de déterminer quelle huile s'avère la plus efficace pour vous-même ou la personne que vous traitez. Soyez toujours attentif aux contre-indications et avertissements accompagnant chaque huile. Si vous traitez une personne souffrant d'une affection ou sujette à une maladie chronique, et pensez avoir trouvé une combinaison efficace d'huiles, continuez à utiliser ce mélange quelque temps, avant d'essayer de le modifier en y incorporant une huile différente. L'organisme développe une tolérance aux huiles essentielles comme pour n'importe quelle autre substance et l'association de diverses huiles appropriées peut suffire à résoudre le problème en quelques semaines. Rappelez-vous qu'un mélange de trois huiles est suffisant pour un massage, un bain ou une compresse. L'aromathérapie peut être un moyen à la fois sûr et efficace de traiter à la maison un certain nombre d'affections bénignes. Consultez cependant votre médecin traitant si vous avez le moindre doute.

À GAUCHE *L'aromathérapie peut profiter à toute la famille, car les huiles s'emploient dans le traitement de nombreuses affections.*

INFORMEZ VOTRE MÉDECIN

Si vous êtes déjà suivi régulièrement par un médecin et que vous envisagez de recourir à l'aromathérapie, il est conseillé de l'en informer. Beaucoup de médecins préconisent désormais l'aromathérapie et les massages, surtout dans le traitement des affections générées par le stress.

Les cheveux et le cuir chevelu

L'AROMATHÉRAPIE PEUT *être très bénéfique dans le traitement des problèmes capillaires. Le cuir chevelu, bien que faisant partie des tissus cutanés, présente souvent des symptômes et des affections spécifiques. Certaines huiles essentielles, diluées dans un shampooing de support non parfumé, peuvent intervenir efficacement dans le traitement des problèmes de cheveux.*

CHEVEUX SECS OU GRAS

Le mauvais fonctionnement ou l'hyper-activité des glandes sébacées présentes dans le cuir chevelu, peuvent être causes de cheveux gras ou secs. L'aromathérapie peut équilibrer la production de ces glandes.

Massez en profondeur le cuir chevelu avec une huile de support et 1 ou 2 gouttes d'huile essentielle, puis rincez. Sur des cheveux secs, laissez l'huile agir pendant plusieurs heures ou même toute la nuit avant de rincer.

Huiles recommandées
• CHEVEUX GRAS : *arbre à thé, citron, géranium, lavande, sauge sclarée (huiles équilibrantes) ; cyprès, romarin (huiles nettoyantes et toniques).*
• CHEVEUX SECS : *camomille romaine (cheveux blonds) ; lavande, romarin (cheveux roux, bruns ou noirs).*

ALOPÉCIE

Une perte de cheveux, temporaire ou soudaine, peut se produire après un choc, en période de stress important ou après la naissance d'un enfant ; elle peut aussi être le symptôme d'une maladie ou se produire suite à un traitement thérapeutique lourd. Quand à la perte progressive des cheveux et à la calvitie, elles sont généralement génétiques. L'aromathérapie peut stimuler le cuir chevelu et réduire la perte de cheveux, mais ne peut rien contre la calvitie.

Pour un massage du cuir chevelu : ajoutez 1 ou 2 gouttes d'huile essentielle à une petite quantité d'huile de support ; appliquez le mélange sur le cuir chevelu, laissez agir pendant une demi-heure, puis rincez. Vous pouvez aussi utiliser ce mélange dans votre bain ou en spray.

Huiles recommandées
• *Mélisse/citronnelle, romarin et ylang-ylang (stimulent la circulation locale) ; cèdre de l'Atlas et lavande (toniques) ; achillée millefeuille, pamplemousse et sauge sclarée (favorisent la pousse).*

PELLICULES

Les pellicules sont de petites particules de peau morte, visibles dans les cheveux et dues à la desquamation du cuir chevelu. Elles sont provoquées par une hyperactivité des glandes sébacées. Les pellicules peuvent déclencher des démangeaisons et favoriser les infections.

Diluez 1 ou 2 gouttes d'huile essentielle dans une huile de support, massez le cuir chevelu en profondeur, laissez agir pendant une demi-heure, puis rincez.

Huiles recommandées
• *Arbre à thé, patchouli (anti-inflammatoires, régulateurs, antiseptiques) ; cèdre de l'Atlas, citron, genévrier, romarin (antiseptiques, astringents) ; bois de santal, géranium, lavande (adoucissants).*

CI-DESSUS *Ajoutez quelques gouttes d'huile essentielle à une huile de support et massez le cuir chevelu en profondeur.*

La peau

DE NOMBREUX PROBLÈMES *cutanés, des peaux sèches aux dermatoses,*
peuvent être soulagés par l'aromathérapie qui agit directement sur l'épiderme.
La peau est le plus étendu des organes du corps et permet aux huiles de
pénétrer dans les systèmes internes de l'organisme. Si le corps réagit mal à une
huile essentielle, qu'il s'agisse d'un problème de dosage ou d'indication,
il le manifestera d'abord sur la peau.

ACNÉ ET PEAUX GRASSES

L'acné et autres formes d'affections des peaux grasses sont provoquées par une sur-production des glandes sébacées. Une mauvaise alimentation, un déséquilibre hormonal, le stress ou le manque d'exer-cice peuvent aggraver le problème. L'adolescence, la menstruation et la méno-pause sont des périodes particulièrement critiques.

Vous pouvez appliquer 1 goutte d'huile de géranium, de lavande, de camomille romaine ou d'arbre à thé directement sur la zone affectée, ou appliquer ces huiles en compresses, ou encore les ajouter à votre bain pour une action directe sur la peau. Pour soulager le stress, elles peuvent être diffusées dans un brûleur ou inhalées sur un mouchoir.

Huiles recommandées

• *Arbre à thé, bergamote, bois de rose, bois de santal, cèdre de l'Atlas, citron, citron vert, genévrier, géranium, lavande, lemon-grass, mandarine/tangerine, myrte, néroli, niaouli, romarin, vétiver (antiseptiques, curatives, régulatrices) ; camomille romaine (anti-inflammatoire) ; basilic commun, lemon-grass, pamplemousse, patchouli (nettoyantes).*

PEAUX SÈCHES OU MIXTES

Une production insuffisante des glandes sébacées ou une exposition excessive au soleil et au vent peuvent dessécher la peau. Les peaux sèches se desquament et se rident plus facilement que les peaux grasses. L'abus d'alcool et les effets dessé-chants du chauffage central peuvent éga-lement aggraver le déséquilibre. Une peau mixte est une peau à la fois grasse et sèche.

Utilisez les huiles en lotions ou en crèmes, ajoutées à votre bain ou en sauna facial. Vous pouvez aussi les employer en diffuseur.

Huiles recommandées

• PEAUX SÈCHES : *bois de santal, cèdre de l'Atlas, géranium, néroli, rose (humidi-fiantes) ; achillée millefeuille, bois de rose, camomille romaine, jasmin, lavande (peaux sensibles) ; arbre à thé, myrrhe, patchouli (peaux craquelées ou rugueuses).*
• PEAUX MIXTES : *géranium, ylang-ylang (équilibrantes).*

À DROITE *Mélangez les huiles à une crème inodore pour hydrater le corps.*

PEAUX VIEILLISSANTES ET RIDÉES

Une peau jeune se régénère en un mois environ, mais avec l'âge, ce processus se ralentit. Le stress, le tabac, l'alcool, la pollution, l'exposition au soleil et le manque d'exercice contribuent également au vieillissement prématuré de la peau ; elle perd de sa souplesse et les rides apparaissent.

Utilisez les huiles en lotions, en crèmes, dans votre bain et en sauna facial. Vous pouvez également employer un diffuseur.

Huiles recommandées

• *Bois de rose, bois de santal, camomille romaine, cyprès, fenouil, géranium, jasmin, lavande, myrrhe, néroli, oliban, patchouli, sauge sclarée, ylang-ylang.*

COUPS DE SOLEIL

Les coups de soleil doivent être traités aussi sérieusement que n'importe quelle brûlure, surtout s'ils couvrent une large surface du corps. Le manque de protection peut entraîner un vieillissement prématuré de la peau et la formation de mélanomes, voire d'un cancer de la peau. Consultez votre médecin si vous avez la moindre inquiétude. L'huile de jojoba a un indice de protection (IP) 4 et peut être utilisée en lotion solaire pour une protection normale. Mais vous devez vous protéger avec des crèmes ayant un indice de protection plus élevé si vous avez l'intention de vous exposer durablement au soleil. Évitez les huiles d'angélique et de bergamote (ainsi que d'autres huiles d'agrumes) car elles sont susceptibles d'augmenter la photosensibilité de la peau.

Utilisez les huiles dans des bains rafraîchissants, en compresses froides ou en lotions pour soulager les coups de soleil.

À GAUCHE *Si vous souffrez de coups de soleil, ajoutez quelques gouttes d'huile de cèdre de l'Atlas à votre bain, à une lotion ou en compresses froides.*

Huiles recommandées

• *Arbre à thé, bois de rose, bois de santal, camomille romaine, cèdre de l'Atlas, cyprès, eucalyptus, géranium, jasmin, lavande, néroli, niaouli, patchouli, rose.*

PIED D'ATHLÈTE OU MYCOSE PLANTAIRE

Le pied d'athlète est une infection fongique des pieds. Ce champignon, extrêmement contagieux, prospère sur les sols humides des vestiaires des clubs de sport et des piscines. La peau entre les doigts de pied devient rouge, provoque des démangeaisons et commence à se fendiller.

Utilisez les huiles dans un bain de pieds ou en compresses, ou ajoutez-en une petite quantité à une pommade inodore.

Huiles recommandées

• *Lavande (antiseptique) ; arbre à thé (antifongique) ; géranium, myrrhe, patchouli, pin sylvestre (anti-inflammatoire) ; lemon-grass (désodorisante, asséchante).*

DERMATOSES, ECZÉMAS ET PSORIASIS

Les allergies cutanées sont de plus en plus répandues. Le stress quotidien, la pollution de l'air, de l'eau et de notre alimentation sont peut-être à l'origine de ce phénomène.

Utilisez les huiles en compresses, ajoutées à votre bain ou diluées dans une huile de support et appliquées en massages sur la peau. Vous pouvez aussi diluer 1 ou 2 gouttes d'une des huiles appropriées dans un bol d'eau chaude et procéder à un sauna facial.

Huiles recommandées

• DERMATOSES ET PSORIASIS : *angélique, bergamote, cèdre de l'Atlas, cyprès (adoucissantes, anti-inflammatoires) ; camomille romaine, géranium, lavande, myrte, patchouli, pin sylvestre (curatives).*

• ECZÉMAS : *genévrier, géranium, mélisse/citronnelle, myrrhe, niaouli, patchouli (eczéma purulent) ; bois de santal (eczéma sec).*

VERRUES

Les verrues sont de petites tumeurs cutanées bénignes provoquées par une infection virale. Elles peuvent apparaître sous la plante des pieds ; on parle alors de verrues plantaires ; celles-ci se transmettent d'une personne à une autre, par l'intermédiaire du sol, dans les vestiaires des clubs de sport et des piscines.

CI-DESSUS *Le stress aggrave tous les problèmes de peau. L'huile de bergamote, brûlée dans un diffuseur, peut vous aider à soulager ces tensions.*

Avec un Coton-Tige, appliquez 1 goutte d'huile essentielle directement sur la verrue, en veillant bien à ne pas déborder sur la peau alentour, car vous pourriez brûler la peau ou propager l'infection.

Huiles recommandées

• *Arbre à thé, citron.*

CI-DESSOUS *On peut utiliser l'huile de citron pure pour soigner les verrues.*

Le système circulatoire

LE SYSTÈME CIRCULATOIRE *recouvre la circulation du sang et celle de la lymphe. Le sang conduit l'oxygène et les différents nutriments (les produits de la digestion) dans l'ensemble du corps et nourrit les organes. La lymphe est le moyen de transport du système immunitaire ; elle expulse les toxines et autres déchets de l'organisme. Les huiles essentielles, mais aussi quelques exercices et des massages réguliers, favoriseront une bonne circulation.*

CELLULITE ET RÉTENTION D'EAU

La cellulite est une accumulation de toxines dans le tissu conjonctif sous-cutané et les glandes du système lymphatique. Elle peut être provoquée par une mauvaise circulation et un déséquilibre hormonal. Elle se manifeste par une texture capitonnée de l'épiderme, dite en « peau d'orange », sur les cuisses, les fesses et le haut des bras. La cellulite et l'œdème (rétention d'eau) apparaissent souvent en même temps, ce qui signale un drainage insuffisant des fluides organiques (sang et lymphe).

Ajoutez à votre bain quelques gouttes d'une des huiles conseillées ci-après ou utilisez-les en massages, en massant vers le cœur.

À GAUCHE *On peut remédier à une mauvaise circulation en levant les jambes contre un mur pendant quelques instants.*

Huiles recommandées

• *Angélique, genévrier, géranium (détoxiquantes) ; fenouil, mandarine/tangerine, pamplemousse, romarin (diurétiques) ; bois de santal, cèdre de l'Atlas, citron, citron vert, cyprès, pin sylvestre (stimulent la circulation) ; lavande, patchouli (décongestionnantes).*

VEINES DILATÉES

Il s'agit des varices et varicosités, des hémorroïdes et des engelures. La mauvaise circulation et la perte d'élasticité des tissus et des valvules entraînent une dilatation anormale des veines. Cette affection est due principalement au manque d'exercice, aux longues stations debout, à une mauvaise alimentation, à l'obésité et à un mode de vie sédentaire. L'aromathérapie peut améliorer la tonicité générale des veines, surtout si elle est associée à une bonne hygiène alimentaire et à un peu d'exercice physique.

Les hémorroïdes sont des varices situées juste au-dessus de l'anus. Elles sont souvent provoquées par une insuffisance circulatoire au niveau du rectum.

Elles peuvent apparaître provisoirement pendant la grossesse, ou être un symptôme permanent d'une maladie hépatique ou d'une constipation chronique. La douleur et la gêne qu'elles provoquent favorisent la constipation, si bien que les deux phénomènes ont tendance à s'aggraver mutuellement.

À la suite d'une exposition au froid, des engelures – veines gonflées et décolorées – peuvent apparaître sur les doigts, les orteils et l'arrière de la jambe.

Ajoutez les huiles à votre bain, utilisez-les en compresses, sur un gant de toilette, en application locale ou en diffuseur. Traitez les zones affectées très doucement, sans exercer aucune pression.

Huiles recommandées

• VARICES ET VARICOSITÉS : *achillée millefeuille, arbre à thé, basilic commun, citron, citron vert, cyprès, genévrier, gingembre, lavande, marjolaine, myrrhe, pin sylvestre, romarin.*

• HÉMORROÏDES : *arbre à thé, bergamote, bois de santal, camomille romaine, citron, cyprès, genévrier, géranium, myrrhe, myrte, néroli, niaouli, oliban, patchouli, sauge sclarée. Utilisez le romarin, le fenouil et la marjolaine si vous êtes constipé.*

• ENGELURES : *achillée millefeuille, arbre à thé, basilic commun, citron, cyprès, eucalyptus, genévrier, gingembre, lemon-grass, marjolaine, romarin.*

Muscles et articulations

LES DOULEURS MUSCULAIRES ET ARTICULAIRES *affectent de nombreuses parties du corps. L'utilisation d'huiles essentielles en massages, diffuseurs et dans le bain peut alléger la tension musculaire et favoriser l'élimination des déchets, y compris l'accumulation des toxines, un des facteurs responsables des douleurs rhumatismales. L'aromathérapie peut aussi soulager toutes les tensions et douleurs physiques liées au stress.*

CRAMPES

Les crampes peuvent être provoquées par un excès d'exercice physique, une mauvaise circulation ou une carence en vitamines, ou encore se manifester au début des règles. Les huiles essentielles contribuent à soulager la tension et à apaiser la douleur. Comme les crampes surviennent souvent la nuit, les huiles essentielles peuvent aussi vous aider à vous rendormir.

Placez les huiles dans un brûleur ou versez-en quelques gouttes sur votre oreiller pour vous détendre ; utilisez-les en compresses ou en massages pour soulager la douleur, ou ajoutez-les à votre bain pour vous relaxer et calmer les élancements.

Huiles recommandées
• *Eucalyptus, gingembre, marjolaine, niaouli, pamplemousse, romarin, vétiver (réchauffantes, analgésiques) ; basilic commun, citron, cyprès, mandarine/tangerine, pin sylvestre, rose (circulation) ; fenouil, genévrier, jasmin, sauge sclarée (douleurs menstruelles) ; camomille romaine, lavande, ylang-ylang (relaxantes).*

MAL DE DOS

Beaucoup de gens sont ou seront sujets au mal de dos. Le surmenage physique, la manipulation de poids trop lourds, la sollicitation de certains muscles sans échauffement préalable, un mauvais maintien du dos peuvent en être la cause. Le moindre faux mouvement peut entraîner des jours, voire des semaines de douleur et d'inconfort.

Utilisez les huiles dans votre bain, en massage local, dans un brûleur, ou mettez-en 1 goutte sur vos draps pour vous assurer une bonne nuit de sommeil.

Huiles recommandées
• *Basilic commun, camomille romaine, genévrier, romarin (adoucissantes, stimulantes) ; eucalyptus, marjolaine, niaouli, pin sylvestre, vétiver (relaxantes, réchauffantes) ; lavande, sauge sclarée (relaxantes, anti-inflammatoires).*

CI-DESSOUS *N'oubliez pas d'échauffer convenablement vos muscles avant de vous livrer à des exercices physiques intenses.*

RHUMATISMES ET ARTHRITE

Les rhumatismes sont une inflammation douloureuse des muscles, des ligaments et des tissus conjonctifs des articulations. Les huiles essentielles peuvent soulager la douleur en détendant les muscles et en réduisant l'inflammation.

Utilisez les huiles essentielles mélangées à une huile de support, en massage (général ou local), dans un diffuseur, en compresses ou en les ajoutant à votre bain. Vous pouvez aussi les inhaler sur un mouchoir ou en mettre 1 goutte sur vos draps.

Huiles recommandées
• *Camomille romaine, eucalyptus, genévrier, gingembre, lavande, marjolaine, pin sylvestre, vétiver (réchauffantes et relaxantes) ; achillée millefeuille, angélique, basilic commun, citron, citron vert, cyprès, myrrhe, romarin (anti-inflammatoires).*

Système génito-urinaire

CERTAINES HUILES ESSENTIELLES *manifestent des affinités particulières avec le système génito-urinaire et, employées avec précaution, elles sont capables de soulager douleurs ou irritations. Elles peuvent jouer un rôle positif dans le traitement des problèmes inflammatoires, la cystite par exemple, ou de certains dysfonctionnements comme l'excès de certaines levures, responsables de muguet.*

CI-DESSUS *Les huiles essentielles sont des remèdes efficaces contre la douleur et les irritations provoquées par les infections génito-urinaires.*

CYSTITE

La cystite est une inflammation de la vessie, provoquée en général par une infection bactérienne. Beaucoup plus répandue chez les femmes que chez les hommes, elle se traduit par des mictions fréquentes et douloureuses. Quelques huiles, utilisées dès les premiers signes de l'infection, peuvent prévenir une crise aiguë.

À utiliser diluées, en application locale, en compresses ou dans l'eau de votre bain.

Huiles recommandées
• *Angélique, arbre à thé, bois de santal, camomille romaine, cèdre de l'Atlas, eucalyptus, genévrier, lavande, niaouli, oliban.*

MUGUET

Les *Candida albicans* forment une sorte de levure vivant naturellement dans l'organisme. Ils ne commencent à poser problème que lorsqu'ils se propagent hors des intestins. Une surproduction de *Candida* peut survenir après un traitement aux antibiotiques, lesquels ont pour effet d'éliminer les bactéries intestinales qui en régulent normalement la prolifération. Le symptôme le plus courant d'un excès de *Candida* est le muguet, une infection des muqueuses de la zone génitale ou, quelquefois, de la bouche (surtout chez les nourrissons).

Grâce à ses puissantes propriétés antifongiques, antivirales et antiseptiques, l'huile extraite de l'arbre à thé est la plus efficace. Diluez-en 1 ou 2 gouttes dans un bol d'eau chaude et faites un bain de siège. Utilisez les autres huiles dans votre bain ou en diffuseur.

Huiles recommandées
• *Arbre à thé, genévrier, lavande (antifongiques) ; bois de santal, myrrhe (antiseptiques).*

HERPÈS GÉNITAL

L'herpès génital est un virus transmis par contact sexuel. Il est déclenché par le virus de l'herpès simplex II – il s'agit peut-être du même virus que celui de l'herpès simplex I, responsable des boutons de fièvre. De petites vésicules douloureuses apparaissent dans la région génitale et peuvent durer pendant plusieurs semaines.

Utilisez une petite quantité d'huile diluée dans de l'eau bouillie et refroidie, et procédez à un bain de siège. La bergamote est efficace en raison de ses affinités avec le système génito-urinaire, mais également parce qu'elle est souveraine en cas de stress et de dépression.

Huiles recommandées:
• *Arbre à thé, bergamote, eucalyptus, lavande.*

Système respiratoire

CERTAINES HUILES ESSENTIELLES *peuvent soulager les spasmes musculaires qui affectent l'appareil respiratoire, qu'ils soient provoqués par une tension, une allergie ou un virus. D'autres peuvent chasser l'excès de mucus dans l'organisme. Les particules d'huiles essentielles en suspension dans l'atmosphère atteignent les poumons et peuvent contribuer à dégager les voies respiratoires.*

RHUME DES FOINS

Le rhume des foins est une allergie qui affecte les yeux, la gorge et les muqueuses nasales. Il se manifeste par des éternuements, des écoulements du nez et des yeux en présence de pollen, responsable de l'allergie.

Utilisez les huiles dans un diffuseur ou ajoutez-les à l'eau de votre bain.

Huiles recommandées
• *Basilic commun, eucalyptus, gingembre, lavande, myrrhe, myrte (pour les symptômes) ; camomille romaine, mélisse/citronnelle (pour la cause de la réaction allergique).*

ASTHME ET PROBLÈMES RESPIRATOIRES

L'asthme résulte de spasmes musculaires au niveau des petites bronches et se manifeste par une respiration courte et sifflante. Le rétrécissement des voies respiratoires provoque l'accumulation de mucus dans les poumons, augmentant ainsi les difficultés respiratoires du malade. L'asthme peut être provoqué par une réaction allergique, à la poussière ou aux poils d'animaux par exemple ; il peut être précédé d'une infection ou généré par le stress. La crise peut aussi survenir lors d'un exercice physique trop intense.

Consultez votre médecin si vous pensez avoir eu votre première crise d'asthme ou si vous éprouvez des difficultés respiratoires.

Utilisez les huiles dans un diffuseur, en inhalation, en baume de poitrine (1 ou 2 gouttes mélangées à une huile de support), en massage sur tout le corps, dans l'eau du bain, en compresses ou en respirant directement le contenu du flacon (avec modération).

Huiles recommandées
• *Angélique, bois de rose, cyprès, fenouil, mélisse/citronnelle, myrrhe (pour la toux) ; bergamote, bois de santal, camomille romaine, cèdre de l'Atlas, jasmin, lavande, marjolaine, sauge sclarée (apaisantes et calmantes) ; citron, citron vert, eucalyptus, myrte, niaouli, oliban (décongestionnantes) ; arbre à thé, pin sylvestre, romarin (antivirales) ; basilic commun (anti-allergénique) ; géranium (tonique).*

COUPS DE FROID ET GRIPPES

Coups de froid et grippes sont provoqués par nombre de virus différents. Fièvre, transpiration, courbatures, éternuements, toux, fatigue, irritations de la gorge et congestion des poumons en sont les principaux symptômes.

Utilisez les huiles dans un diffuseur, dans un bain chaud, sur vos draps ou en baume de poitrine.

CI-DESSUS *Quelques exercices respiratoires, associés à l'utilisation d'huiles essentielles, peuvent soulager les problèmes respiratoires.*

Huiles recommandées
• *Angélique, arbre à thé, cèdre de l'Atlas, eucalyptus, marjolaine, myrrhe, niaouli, oliban, pin sylvestre (décongestionnantes, expectorantes) ; cyprès, fenouil, romarin (antispasmodiques) ; bois de rose, bois de santal, géranium, lavande (antiseptiques) ; achillée millefeuille, citron, citron vert, gingembre, mélisse/citronnelle (fébrifuges).*

Premiers secours

BRÛLURES SUPERFICIELLES (*mais douloureuses*), *contusions et morsures peuvent, dans la plupart des cas, être rapidement soignées par les huiles essentielles qui apportent un soulagement presque immédiat. Le pharmacien René Gattefossé plongea sa main brûlée dans un bol d'huile de lavande pure, découvrant ainsi ses puissantes vertus curatives. La lavande n'est pas la seule huile appropriée, mais de par ses nombreuses propriétés, elle constitue le « remède de secours » par excellence ; si vous ne deviez emporter qu'une seule huile avec vous, ce serait bien celle-ci. L'huile de l'arbre à thé possède également des propriétés nettoyantes et curatives manifestes. Quand il s'agit de choisir une huile pour traiter un cas particulier, n'oubliez pas que la manière dont réagit la personne blessée doit également être prise en compte.*

MORSURES ET PIQÛRES

L'application d'huiles essentielles soulage considérablement les effets externes des morsures et piqûres d'insectes. Leurs propriétés antiseptiques et anti-inflammatoires apaisent souvent démangeaisons et inflammations. Une goutte d'huile de lavande ou d'arbre à thé peut être appliquée pure, directement sur la zone affectée. Utilisez les autres huiles dans l'eau du bain ou en compresses froides, surtout s'il y a plusieurs piqûres, ce qui est souvent le cas avec les piqûres de moustiques. Si vous avez la moindre inquiétude, demandez immédiatement l'avis d'un médecin.

AVERTISSEMENT
Consultez un médecin en cas de fièvre ou si la personne affectée a une température élevée. Certaines personnes peuvent faire des réactions allergiques graves, aux piqûres d'abeilles notamment.

Huiles recommandées

• *Arbre à thé, basilic commun, fenouil, géranium, lavande, mélisse/citronnelle, niaouli (apaisantes, anti-inflammatoires, antiseptiques).*

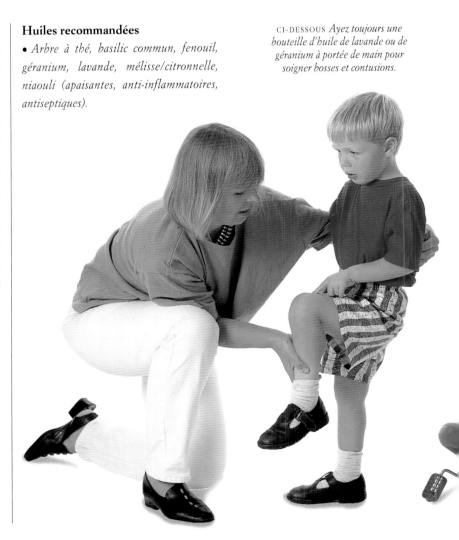

CI-DESSOUS *Ayez toujours une bouteille d'huile de lavande ou de géranium à portée de main pour soigner bosses et contusions.*

ECCHYMOSES

Les ecchymoses indiquent une altération légère des tissus, souvent provoquée par une bosse ou un choc, accompagnée d'un gonflement et d'une douleur localisés. Le sang qui s'écoule des vaisseaux capillaires provoque une décoloration de la peau, qui bleuit avant de virer au brun. Il est recommandé aux personnes dont la peau a tendance à bleuir facilement de consulter un médecin, car cela peut être le signe d'un dysfonctionnement rénal ou d'une carence en vitamine C.

Les huiles sont particulièrement efficaces en compresses froides, surtout immédiatement après le choc : appliquez 1 goutte d'huile de lavande ou de géranium directement sur la contusion. Toutes les huiles indiquées ci-après peuvent être utilisées dans l'eau du bain, notamment pour des contusions couvrant une zone étendue, et également en massages, lorsque le bleu a pris une teinte jaunâtre, afin d'améliorer la circulation et d'accompagner le processus de guérison.

Huiles recommandées
• *Fenouil, gingembre, romarin, sauge sclarée (réchauffantes, améliorent la circulation) ; géranium, marjolaine, myrte (apaisantes) ; cyprès, lavande (anti-inflammatoires).*

POUR ÉLOIGNER LES INSECTES

Certaines huiles essentielles éloignent efficacement toutes sortes d'insectes. Mélangées à une huile de support, elles peuvent être appliquées sur la peau. L'huile de lavande peut s'utiliser pure, mais avec modération.

Diluées dans de l'eau déminéralisée ou minérale et un alcool comme la vodka, les huiles essentielles peuvent entrer dans la composition d'un déodorant personnel, d'un désodorisant ou d'un vaporisateur d'intérieur. Les déodorants peuvent être obtenus à partir de la recette des toniques. Reportez-vous au chapitre *Les préparations domestiques* (*voir* pages 30-31).

Vous pouvez aussi ajouter les huiles essentielles à l'eau de votre bain, les utiliser en compresses froides, ou encore fabriquer vous-même une crème hydratante parfumée et répulsive. Reportez-vous à nouveau au chapitre *Les préparations domestiques*.

Une autre manière de lutter efficacement contre les insectes consiste à disposer des brûleurs dans les pièces d'habitation. Vous pouvez aussi, pour les éloigner, verser quelques gouttes d'huile de lavande sur vos draps ou sur une moustiquaire, si vous voyagez dans un pays chaud.

Huiles recommandées
• *Basilic commun, bergamote, bois de rose, cèdre de l'Atlas, citron, cyprès, eucalyptus, géranium, lavande, lemon-grass, vétiver.*

À GAUCHE ET À DROITE
Certaines huiles, comme le géranium et la lavande, sont particulièrement efficaces et devraient figurer dans l'armoire à pharmacie familiale, pour les soins de première urgence.

BRÛLURES LÉGÈRES

Le contact de la peau avec une surface ou un liquide chaud provoque une inflammation douloureuse ou l'apparition de cloques susceptibles de s'infecter.

Immergez immédiatement la partie affectée dans l'eau froide ou appliquez une compresse froide afin de la rafraîchir et de la garder propre. N'appliquez pas de crème, d'huile ou de beurre, qui peuvent favoriser l'infection et conserver la chaleur. Une goutte de lavande ou d'arbre à thé peut être appliquée sur une brûlure comme mesure de première urgence, immédiatement après l'accident, ou servir à humidifier un morceau de gaze à appli-

AVERTISSEMENT
En cas de brûlure grave, rendez-vous immédiatement au service des urgences de l'hôpital le plus proche.

quer sur les cloques (l'huile de niaouli est également indiquée pour cet usage). Les huiles mentionnées ci-dessous peuvent être utilisées en compresses froides.

Huiles recommandées
• *Arbre à thé, eucalyptus, lavande, niaouli (apaisantes, curatives et antiseptiques) ; camomille romaine, géranium, rose (apaisantes et curatives).*

Stress et mode de vie

LA VIE MODERNE *est souvent synonyme de stress. L'épuisement, l'insomnie, la dépression et certains problèmes digestifs en sont les principaux symptômes. Les huiles essentielles peuvent contribuer à soulager ces maux, qu'ils soient dus à un mauvais équilibre alimentaire, aux excès d'une vie sociale trop intense, au surmenage ou au stress généré par un emploi du temps surchargé. Les huiles essentielles peuvent vous aider à vous détendre, à retrouver votre tonus, à combattre les problèmes d'acidité et d'insomnie – autant de propriétés qui devraient vous éviter de vous précipiter dans la première pharmacie venue pour y chercher un remède d'urgence.*

DÉPRESSION

Tout le monde, à un moment ou un autre, a pu ressentir les symptômes de la dépression. Quelles qu'en soient les raisons, les huiles employées en aromathérapie peuvent vous aider, car les odeurs sont enregistrées dans la même partie du cerveau que les souvenirs, les affects et les émotions.

Versez les huiles essentielles dans un bain relaxant ou stimulant, ou dans un diffuseur. Vous pouvez aussi les inhaler directement à même la bouteille (utilisée de cette manière, l'huile d'ylang-ylang est particulièrement efficace).

Huiles recommandées

• *Achillée millefeuille, bergamote, bois de rose, bois de santal, camomille romaine, cèdre de l'Atlas, citron vert, cyprès, genévrier, géranium, jasmin, lavande, lemon-grass, mandarine/tangerine, marjolaine, mélisse/citronnelle, myrrhe, myrte, néroli, oliban, pamplemousse, patchouli, pin sylvestre, romarin, rose, vétiver, ylang-ylang.*

PROBLÈMES DIGESTIFS

Indigestion, constipation, diarrhées et problèmes intestinaux peuvent être provoqués par le stress et un régime alimentaire déséquilibré : alimentation trop riche, insuffisante ou pauvre en fibres, repas pris sur le pouce ou irréguliers.

Utilisez les huiles suivantes en bains, massages, diffuseur ou compresses.

Huiles recommandées

• INDIGESTION : *achillée millefeuille, angélique, basilic commun, bergamote, bois de santal, camomille romaine, citron vert, fenouil, gingembre, lavande, lemon-grass, mandarine/tangerine, myrrhe, niaouli, oliban, romarin, rose.* • DIARRHÉES : *achillée millefeuille, bois de santal, camomille romaine, fenouil, gingembre, marjolaine, myrte.* • CONSTIPATION : *basilic commun, camomille romaine, citron vert, fenouil, genévrier, gingembre, lemon-grass, mandarine/tangerine, romarin.* • TROUBLES INTESTINAUX : *camomille romaine, fenouil, lavande, marjolaine, mélisse/ citronnelle, néroli.*

À GAUCHE *Des huiles apaisantes peuvent soulager céphalées et migraines douloureuses.*

SURMENAGE

Lorsque vous avez travaillé trop dur ou fait trop d'exercice physique, les huiles peuvent être utilisées comme remontant, jusqu'à ce que vous puissiez profiter du repos dont votre corps et votre esprit ont besoin.

Utilisez les huiles suivantes dans un bain, dans un diffuseur ou en massage du visage et du cou.

Huiles recommandées

• *Angélique, arbre à thé, citron, citron vert, eucalyptus, genévrier, gingembre, lemongrass, mandarine/tangerine, niaouli, pamplemousse, pin sylvestre, romarin, (stimulantes) ; basilic commun, bergamote, jasmin, myrte, sauge sclarée (roboratives et euphorisantes) ; bois de rose, camomille romaine, fenouil, géranium, lavande, myrrhe, oliban, patchouli, ylang-ylang (relaxantes).*

CÉPHALÉES ET MIGRAINES

Les migraines sont souvent le signe d'un surmenage physique ou intellectuel. Le repos dans une pièce sombre est recommandé.

Utilisez les huiles ci-après dans un diffuseur, ajoutées à votre bain, en massage facial ou du cuir chevelu.

Huiles recommandées

• *Angélique, eucalyptus, genévrier, lemon-grass, romarin (éclaircissent les idées) ; camomille romaine, lavande, marjolaine, romarin, rose (soulagent la douleur et détendent) ; citron, mélisse/citronnelle, oliban, sauge sclarée (soulagent la tension).*

À DROITE *Certaines huiles essentielles comme le géranium ou la lavande peuvent soulager les effets d'une consommation abusive d'alcool.*

GUEULE DE BOIS

Les huiles essentielles soulagent la migraine, éclaircissent les idées et suppriment l'apathie et les nausées associées à la gueule de bois.

Utilisez les huiles suivantes dans votre bain, en massage, dans un diffuseur ou en compresse froide sur votre front – et buvez beaucoup d'eau !

Huiles recommandées

• *Géranium, lavande, néroli, rose (pour les migraines et l'apathie) ; angélique, citron, citron vert, gingembre (pour éclaircir les idées et soulager les nausées).*

INSOMNIE

L'insomnie peut être provoquée par le stress et l'angoisse, et entraîner rapidement fatigue et irritabilité excessives, vous rendant incapable de faire face aux exigences de la vie quotidienne. Les huiles essentielles peuvent vous aider à rompre ce cercle vicieux.

Utilisez les huiles dans l'eau du bain ou vaporisez-les dans votre chambre.

Huiles recommandées

• *Achillée millefeuille, bergamote, bois de santal, camomille romaine, cyprès, géranium, jasmin, lavande, mandarine/tangerine, marjolaine, mélisse/citronnelle, myrte, néroli, rose, vétiver, ylang-ylang.*

DÉCALAGE HORAIRE ET MAL DES TRANSPORTS

Désorientation, chevilles enflées, déshydratation, perte d'appétit et confusion comptent parmi les symptômes du décalage horaire. Le mal des transports se manifeste quant à lui par des nausées provoquées soit par le mouvement, soit par l'angoisse du voyage lui-même.

Respirez les huiles à même le flacon ou sur un mouchoir, ou utilisez-les en diffuseur, dans votre bain ou en massages.

Huiles recommandées

• DÉCALAGE HORAIRE : *bergamote, citron, eucalyptus, lemon-grass, pamplemousse, romarin (revivifiantes) ; bois de rose, camomille romaine, genévrier, géranium, lavande, néroli, vétiver (calmantes et rassurantes) ; cèdre de l'Atlas, cyprès (réduisent les ballonnements).*

• MAL DES TRANSPORTS : *angélique, bois de rose, citron, fenouil, gingembre, mandarine/tangerine, marjolaine (pour stabiliser l'estomac) ; bergamote, bois de santal, oliban (apaisantes et roboratives).*

L'aromathérapie pour les femmes, les enfants et les personnes âgées

IL EXISTE DE NOMBREUSES *raisons pour lesquelles les vertus curatives et les affinités singulières des huiles essentielles conviennent plus particulièrement aux femmes, aux enfants et aux personnes âgées. Utilisées avec prudence, les huiles sont efficaces à tous les âges de la vie et certaines d'entre elles sont spécifiquement recommandées pour soulager les femmes pendant les règles, la grossesse et la ménopause.*

AROMATHÉRAPIE ET MENSTRUATION

Si vos règles sont douloureuses, pénibles, insuffisantes ou trop abondantes, l'aromathérapie peut avoir un effet positif tant sur votre état émotionnel que physique.

Utilisez les huiles essentielles dans l'eau de votre bain, dans un diffuseur, en massages ou en compresses.

Huiles recommandées

• SYNDROME PRÉMENSTRUEL : *bois de santal, camomille romaine, géranium, lavande, mandarine/tangerine, mélisse/citronnelle, néroli, oliban, pamplemousse, rose, vétiver (calmantes et/ou régulatrices hormonales) ; bergamote, genévrier, jasmin, sauge sclarée (roboratives) ; cyprès, fenouil, patchouli, romarin (réduisent la rétention des fluides).*

• RÈGLES DOULOUREUSES : *basilic commun, cyprès, fenouil, genévrier, géranium, gingembre, lavande, marjolaine, pin sylvestre, sauge sclarée, vétiver.*

• RÈGLES INSUFFISANTES OU TROP ABONDANTES : *achillée millefeuille, camomille romaine, fenouil, genévrier, lavande, marjolaine, mélisse/citronnelle, myrrhe, romarin, rose, sauge sclarée.*

L'HEURE DU BAIN

Si vous aimez partager votre bain avec vos enfants, installez votre diffuseur dans la salle de bains et utilisez uniquement des huiles très douces, ne présentant aucun danger.

AROMATHÉRAPIE POUR LES ENFANTS ET LES BÉBÉS

Utilisées dans un diffuseur, les huiles aromatiques ne présentent aucun danger pour les enfants et les bébés, et peuvent les soulager. Les huiles de mandarine, de myrte, de lavande et de camomille romaine sont celles qui conviennent le mieux. Elles doivent toutes être brûlées dans un diffuseur. N'employez pas les huiles dans le bain ou directement sur la peau d'un enfant de moins d'un an. Au-delà de douze mois, n'utilisez qu'une seule goutte diluée dans une petite quantité d'huile de support.

Masser votre bébé peut être une expérience merveilleuse. Il existe un peu partout de nombreux cours de massages pour bébés et l'Association internationale de massage pour enfants a répertorié des professeurs dans la plupart des pays.

AVERTISSEMENT

Toute huile destinée à un enfant doit d'abord être testée. Procédez toujours à un test cutané local (*voir* page 18) pour une huile que vous utilisez pour la première fois.

À GAUCHE *Les huiles aromatiques peuvent être particulièrement bénéfiques pour les femmes, les enfants et les personnes âgées.*

AROMATHÉRAPIE ET MÉNOPAUSE

Certaines femmes traversent la ménopause sans que leur existence en soit affectée outre mesure, alors que d'autres endurent dépression, règles irrégulières et hémorragiques, bouffées de chaleur, etc., symptômes qui parfois durent plusieurs années. Au cours de la ménopause, en plus des problèmes liés aux changements hormonaux, les femmes sont confrontées à une remise en question et doivent revoir et analyser les choix qui ont été les leurs.

Les huiles conseillées peuvent être utilisées dans un bain, dans un diffuseur et en massage. Le toucher attentif d'un thérapeute professionnel, de votre partenaire ou d'un membre de votre famille peut être particulièrement appréciable pendant cette période.

AVERTISSEMENT

Il est important d'éviter l'huile de romarin et celle de pin sylvestre si vous avez une tension élevée.

Huiles recommandées

• *Bergamote, bois de santal, citron, mandarine/tangerine, néroli, ylang-ylang (remontantes) ; camomille romaine, cyprès, fenouil, géranium, jasmin, oliban, sauge sclarée (permettent de bien réagir aux modifications hormonales) ; marjolaine, mélisse/ citronnelle, pin sylvestre, rose (dans les deux cas).*

AROMATHÉRAPIE ET PERSONNES ÂGÉES

Rien ne vous empêche, même à un âge avancé, de profiter d'un massage à base d'huiles. Si un massage complet ne vous tente pas, pourquoi ne pas essayer un massage relaxant du pied, de la main ou du visage, pratiqué par un thérapeute professionnel, une esthéticienne ou un membre de votre famille ? Rappelez-vous qu'un thérapeute qualifié sera toujours à l'écoute de vos désirs. Il est également possible d'utiliser les huiles essentielles dans un diffuseur, sur un mouchoir ou sur votre oreiller pendant la nuit. Si vous désirez ajouter des huiles essentielles à votre bain, veillez à les mélanger soigneusement à l'eau et évitez celles qui sont susceptibles d'irriter les peaux sensibles (*voir* précautions et contre-indications dans *Matière médicale*).

RÉMINISCENCES

Les senteurs évocatrices des huiles essentielles font souvent resurgir certains souvenirs. Vous remémorer des moments de votre vie pendant qu'un ami ou un parent vous masse les pieds, les mains, le visage, le cou et les épaules est une excellente manière de passer un après-midi.

L'aromathérapie pendant la grossesse et à la naissance

Tout au long de la grossesse et pendant l'accouchement lui-même, certaines huiles essentielles peuvent s'avérer extrêmement efficaces. Ces huiles deviendront de véritables alliées et vous soutiendront à chaque étape de votre maternité. Utilisez-les pour votre plaisir, votre confort et pour chasser toute sensation de gêne, mais n'hésitez pas à vous tourner vers d'autres méthodes si vous en éprouvez le besoin. Ce moment n'appartient qu'à vous et au bébé qui va naître.

PENDANT LA GROSSESSE

Vous pouvez profiter des bienfaits de certaines huiles essentielles tout au long de votre grossesse. Utilisez-les dans un diffuseur au moment de vous endormir, en vous détendant dans votre bain ou en massage. Cependant, plusieurs huiles essentielles sont emménagogues (susceptibles de provoquer des écoulements de sang) et d'autres peuvent augmenter votre pression sanguine. Pendant les cinq premiers mois de votre grossesse, il faut donc éviter certaines huiles, parmi lesquelles le basilic commun, le cèdre de l'Atlas, le cyprès, le fenouil, le genévrier, le jasmin, la lavande, la marjolaine, la myrrhe, le romarin, la rose et la sauge sclarée.

Mieux vaut utiliser les huiles recommandées pendant la grossesse uniquement dans un diffuseur et non en massage sur votre peau, à moins que ce ne soit sous le contrôle d'un thérapeute professionnel qualifié. Votre bébé et vous-même êtes si vulnérables pendant cette période, qu'il est conseillé d'utiliser toutes les huiles en diffuseur, y compris celles ne présentant aucun danger.

Il est également recommandé d'éviter les massages pendant les cinq premiers mois de la grossesse ; vous pourrez ensuite y avoir recours pour dissiper les tensions, les irritations et la fatigue. La plupart des masseurs professionnels possèdent toute l'expérience requise pour répondre aux besoins physiques et émotionnels propres à la grossesse, et s'assureront de votre confort pendant la séance. Cependant, au cours de cette période particulière, vous préférerez peut-être la caresse aimante et l'attention de votre partenaire. Reportez-vous au chapitre consacré à *L'art du massage* (*voir* pages 34 à 45) pour les techniques de massage pendant la grossesse.

AVERTISSEMENT

Évitez toute huile essentielle non mentionnée dans ce livre. Si vous avez le moindre doute, consultez un thérapeute professionnel qualifié.

À DROITE *L'aromathérapie peut être extrêmement bénéfique pendant la grossesse. Veillez à n'utiliser que des huiles ne présentant aucun danger.*

PENDANT L'ACCOUCHEMENT

Une fois que le travail a commencé, les huiles peuvent vous être d'un grand secours. Géranium, lavande, oliban, rose et ylang-ylang sont conseillées en début d'accouchement ; l'huile de néroli est particulièrement recommandée pour calmer vos appréhensions. Une fois que le col de l'utérus est bien dilaté et le travail suffisamment avancé, les huiles de jasmin et de sauge sclarée peuvent se montrer extrêmement utiles, car elles sont à la fois euphorisantes, antalgiques et toniques de l'utérus.

Toutefois, si vous voulez avoir recours aux huiles essentielles pendant la naissance de votre enfant, n'oubliez pas qu'elles sont susceptibles de vous rendre nauséeuse une fois le travail commencé. Dans ce cas, renoncez-y. Au Royaume-Uni, des recherches récentes effectuées à l'université de Warwick ont prouvé que si l'on n'appréciait pas le parfum d'une huile essentielle, même temporairement, le système nerveux central neutralisait ses propriétés thérapeutiques.

FAITES-VOUS DORLOTER

Des massages réguliers soulagent la tension, notamment dans le bas du dos et le cou. Ils peuvent également contribuer à améliorer la circulation du sang et de la lymphe. Ils vous aideront à vous détendre, à vous sentir choyée et entourée de soins et d'affection.

APRÈS LA NAISSANCE

Pendant la période qui suit l'accouchement, les huiles essentielles vous apporteront un soutien. Ce moment est exceptionnel ; profitez-en pour utiliser en diffuseur les huiles de jasmin, de néroli ou de rose ; ce sont les plus onéreuses, mais quelques gouttes suffisent. L'huile d'ylang-ylang peut aussi être très bénéfique. Si vous avez des montées de lait insuffisantes, essayez les huiles de fenouil ou de lemon-grass en compresses, mais essuyez soigneusement les traces qu'elles peuvent laisser.

CONSEIL

Rappelez-vous que l'odeur maternelle est la seule aromathérapie dont les bébés aient besoin, avec bien sûr vos caresses.

AVERTISSEMENT

Ne mettez pas les huiles essentielles en contact avec la bouche du nourrisson.

FAUSSE COUCHE

Perdre son bébé en cours de grossesse, quelle qu'en soit la raison, peut être une épreuve extrêmement douloureuse et l'aromathérapie peut vous être d'un grand secours. Les huiles puissantes et généreuses de néroli, de rose et de jasmin – ou toute autre huile que vous trouvez particulièrement attirante – peuvent vous apporter un grand réconfort, que vous les utilisiez chez vous ou que vous consultiez votre thérapeute. Le contact affectueux et la compréhension d'un ami, d'un thérapeute ou de votre partenaire peuvent vous réconforter. Laissez-vous aller, essayez de vous détendre et de profiter des vapeurs thérapeutiques de ces huiles merveilleuses.

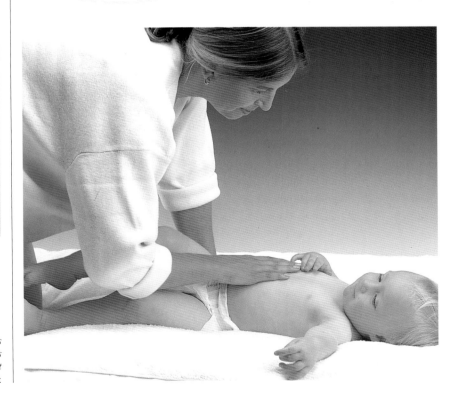

À DROITE *Les bébés adorent le contact des mains maternelles et apprécieront un massage léger.*

Consulter un thérapeute

LE « BOUCHE À OREILLE » *reste encore le meilleur moyen de trouver un bon thérapeute professionnel. Mais si vous ne connaissez personne qui puisse vous recommander un thérapeute, prenez contact avec un centre de santé spécialisé en médecines douces : vous y trouverez une liste de thérapeutes qualifiés et compétents.*

CI-DESSUS *Vous pouvez consulter un thérapeute chez lui ou dans un centre de soins.*

Lors de votre première visite chez un aromathérapeute, celui-ci va vous poser plusieurs questions concernant votre santé, votre mode de vie et ce que vous attendez du traitement. Une fois qu'il aura réuni suffisamment d'informations, il pourra déterminer le mélange d'huiles qui vous convient et vous demandera d'ôter vos vêtements et de vous étendre sur la table de massage. Pendant que vous vous déshabillez, il pourra quitter la pièce ou en profiter pour préparer les huiles. Un massage holistique approfondi pourra s'appliquer à la totalité du corps ; toutefois vos besoins et demandes spécifiques doivent être respectés et observés.

Certains thérapeutes soulèvent et étirent vos membres ou votre cou au cours du traitement. Si un mouvement particulier vous déplaît, n'hésitez pas à le lui dire. S'il a besoin de votre coopération, il vous le demandera. Autrement, restez allongé et détendez-vous. Au cours du traitement, le thérapeute peut vous demander si vous jugez la pression suffisante ou trop forte. Certains travaillent en musique, d'autres préfèrent le silence.

Si vous avez des questions concernant votre traitement ou l'aromathérapie en général, n'hésitez pas à interroger le praticien avant, pendant ou après la séance.

Vous souhaiterez peut-être demander quelles huiles sont utilisées et pour quelles raisons on les a choisies à votre intention. Vous pouvez aussi demander à votre thérapeute d'employer certaines huiles essentielles ; cependant l'exposition à de nouvelles huiles peut altérer la façon dont vous percevez votre état physique ou mental.

Les massages aromathérapiques sont en général pratiqués avec beaucoup de douceur (pour que les huiles soient absorbées par la peau et pour relâcher la tension musculaire), mais vous avez toujours la possibilité de demander un massage plus vigoureux. N'oubliez pas cependant qu'un massage doit être agréable avant tout – et même si vos muscles sont noués, le relâchement de la tension ne doit pas être douloureux. Si vous vous sentez mal à l'aise, n'hésitez pas à le faire savoir.

Dans certains centres de soins, vous avez la possibilité de vous détendre pendant quelques instants après le traitement, afin d'en tirer tous les bienfaits. D'autres thérapeutes souhaiteront que vous partiez rapidement s'ils attendent un autre patient.

On vous demandera soit de régler le thérapeute directement, soit de payer à l'accueil du centre de soins. Certains praticiens et centres proposent des tarifs particuliers si vous réservez plusieurs séances ou si vous les payez à l'avance.

Demandez également s'il est possible d'avoir le même thérapeute d'une séance à l'autre. À votre premier rendez-vous, envisagez une séance de 90 minutes ; par la suite, vous préférerez peut-être des séances plus fréquentes de 60 minutes.

Si vous souhaitez consulter un ou une thérapeute indépendant(e) ou si vous désirez qu'il ou elle se déplace à votre domicile, parlez-en d'abord au téléphone pour vérifier que le courant passe bien entre vous. Certains praticiens, qu'ils aient leur propre cabinet ou se déplacent au domicile de leurs patients, vous conseilleront néanmoins de vous rendre dans un centre de soins pour votre première séance. Vous pourrez ainsi faire connaissance et décider si vous voulez continuer le traitement ensemble.

AVERTISSEMENT

Mieux vaut ne pas conduire immédiatement après un massage si vous éprouvez quelque difficulté à retrouver vos esprits. Buvez de l'eau ou une boisson chaude (évitez le thé, le café et l'alcool) et reposez-vous un moment avant de prendre le volant.

Nathalie Chauvet, secrétaire, 25 ans. Généralement en bonne santé, elle dort mal depuis plusieurs semaines. Elle a réalisé qu'elle souffrait d'une forme de stress et espère que l'aromathérapie l'aidera à se détendre.

Le thérapeute a besoin d'une compréhension globale de votre état et vous devez essayer de répondre aussi honnêtement que possible à ses questions.

Les problèmes de santé des membres de votre famille sont souvent extrêmement importants pour comprendre votre propre état de santé et aideront le thérapeute à choisir le traitement approprié.

Les maladies et affections dont vous souffrez sont des indications précieuses qui permettront au thérapeute d'accorder une attention particulière à une partie du corps ou à un système organique spécifique.

ÉTUDE DE CAS

FICHE MÉDICALE

Nom .... Chauvet, Nathalie .... Taille .... 1 m 72
Téléphone .... 01 50 42 96 38 .... Poids .... 65 kilos
Adresse .... 36, rue Aristide Briand .... Date de naissance 25/9/72
.... Antony ....

Nom/adresse/téléphone de votre médecin traitant .... Dr Spitzer à Antony – 01 50 45 83 35
Quand avez-vous consulté votre médecin pour la dernière fois ? .... Je ne me souviens pas .... Pourquoi ?
Qui vous a envoyé chez nous ? .... Une amie
Qu'attendez-vous du traitement ? .... Je voudrais me détendre
Situation familiale .... Célibataire
Profession et loisirs (y compris sports, hobbies, emploi actuel) .... Secrétaire – tennis, marche à pied

Répondez aussi précisément que possible

- Comment décririez-vous votre état de santé général ?
  .... Bon
- Comment décririez-vous votre régime alimentaire ?
  .... Varié
- Suivez-vous une autre forme de traitement/thérapie ?
  .... Non
- Toussez-vous, attrapez-vous souvent froid, avez-vous la gorge irritée ?
  .... Oui
- Avez-vous récemment voyagé à l'étranger, si oui, où ?
  .... Non
- Portez-vous des lunettes/des lentilles de contact ou un appareil auditif ?
  .... Oui – des lunettes
- Avez-vous passé une radiographie ou avez-vous été hospitalisée au cours de ces trois dernières années ?
  .... Non

- Avez-vous des problèmes particuliers en ce moment ?
  .... Non
- Sur une échelle du stress de 1 (bas) à 10 (haut), où vous situez-vous ?
  7
- Prenez-vous des médicaments en ce moment ?
  .... Non
- Quel est votre type de peau (grasse, sèche) ?
  .... Sèche
- Êtes-vous enceinte ? À quand remontent vos dernières règles ?
  .... ?
- Fumez-vous ? Combien de cigarettes par jour ?
  .... Non
- Avez-vous subi une intervention chirurgicale ?
  .... Non

Avez-vous des antécédents ou souffrez-vous actuellement d'une ou plusieurs des affections et maladies suivantes (répondez par oui ou par non) ?

Migraines	Non	Problèmes cardiaques	Non	Hyper/hypotension	Non	Thrombose	Non
Diabète	Non	Problèmes pulmonaires	Non	Problèmes rénaux	Non	Varices et varicosités	Non
Épilepsie	Non	Allergies	Oui	Problèmes de vessie	Non	Hépatite	Non

Donnez quelques précisions .... Chrysanthèmes–fraises

Vous arrive-t-il de souffrir des affections ou problèmes suivants (répondez par oui ou par non) ?

Insomnie	Oui	Douleurs dorsales	Oui	Ulcères	Non	Bronchite	Non	Engelures	Non
Asthme	Non	Arthrose	Non	Mains et pieds froids	Oui	Eczéma	Oui	Constipation	Non
Cystite	Oui	Autres problèmes de peau	Non	Brûlures d'estomac	Non	Règles douloureuses	Non	Rhume des foins	Non

Donnez quelques précisions .... problèmes d'eczéma + mains froides en hiver
.... Cystites légères fréquentes

Avez-vous eu des blessures, des maladies ou des affections chroniques qui ne figurent pas dans ce questionnaire ?
.... Non

Voyez-vous d'autres informations qui pourraient m'être utiles ? .... Non
Datez et signez

Nathalie Chauvet

Déclaration sur l'honneur : Je m'engage à informer le thérapeute de tout ce qui pourrait survenir pendant la durée de mon traitement et qui n'a pas été mentionné dans ce questionnaire.

CI-DESSUS *Votre thérapeute va vous poser des questions sur votre état de santé et votre mode de vie en général.*

À GAUCHE *Vous devez faire confiance à votre thérapeute et parler avec lui en toute quiétude.*

Propriétés des huiles essentielles

ABORTIF Peut provoquer une fausse couche.

ANALGÉSIQUE Soulage la douleur.

ANAPHRODISIAQUE Diminue le désir sexuel.

ANESTHÉSIQUE Diminue la sensibilité à la douleur.

ANODIN Apaise la douleur et les troubles sensitifs.

ANTIACIDE Combat les déséquilibres en acides.

ANTIALLERGÉNIQUE Diminue les symptômes de l'allergie.

ANTIANÉMIQUE Combat l'anémie.

ANTIARTHRITIQUE Combat l'arthrose.

ANTIBILIEUX Élimine l'excès de bile dans l'organisme.

ANTIBIOTIQUE Élimine ou prévient la prolifération des bactéries.

ANTICATARRHAL Élimine l'hypersécrétion des muqueuses pulmonaires.

ANTICOAGULANT Empêche la coagulation du sang.

ANTICONVULSIF Permet de contrôler les convulsions.

ANTIDÉPRESSEUR Roboratif ; chasse la mélancolie.

ANTIDIARRHÉIQUE Enraye les diarrhées.

ANTIDONTALGIQUE Soulage les maux de dents.

ANTIÉMÉTIQUE Diminue les vomissements.

ANTIGALACTAGOGUE Empêche la montée de lait.

ANTIHÉMORRAGIQUE Permet d'arrêter les hémorragies ou les saignements.

ANTIHISTAMINIQUE Soigne les allergies.

ANTI-INFECTIEUX Permet de combattre les infections.

ANTI-INFLAMMATOIRE Prévient l'inflammation.

ANTILYTHIQUE Prévient la formation de calculs ou de pierres.

ANTIMICROBIEN Élimine les microbes.

ANTINÉVRALGIQUE Soulage les douleurs d'origine nerveuse.

ANTIOXYDANT Prévient ou retarde l'oxydation.

ANTIPHYLOGISTIQUE Diminue l'inflammation.

ANTIPRURITIQUE Prévient les démangeaisons.

ANTIPUTRÉFACTIF Retarde la décomposition des matières animales et végétales.

ANTIPYRÉTIQUE Prévient la fièvre.

ANTIRHUMATISMAL Soulage les symptômes des rhumatismes.

ANTISCLÉROTIQUE Prévient le durcissement des tissus provoqué par une inflammation chronique.

ANTISCORBUTIQUE Prévient le scorbut.

ANTISÉBORRHÉIQUE Permet de contrôler la production de sébum.

ANTISEPTIQUE Limite la prolifération des bactéries.

ANTISPASMODIQUE Soulage les spasmes musculaires, y compris les crampes.

ANTISUDORIFIQUE Réduit la transpiration.

ANTITOXIQUE Combat les effets de l'intoxication.

ANTITUSSIF Soulage la toux.

ANTIVÉNÉNEUX Combat les effets du poison, surtout celui des serpents, scorpions et insectes.

ANTIVIRAL Combat les infections virales.

APÉRITIF Stimule l'appétit.

APHRODISIAQUE Stimule le désir sexuel.

ASTRINGENT Resserre les tissus.

BACTÉRICIDE Élimine les bactéries.

BALSAMIQUE Apaise et fluidifie le flegme.

BÉCHIQUE Apaise la toux.

CARDIAQUE Stimule le cœur.

CARDIOTONIQUE Affinités avec le cœur, stimulant.

CARMINATIF Soulage les coliques et expulse les gaz de l'intestin.

CÉPHALIQUE Soulage les maux de tête.

CHOLAGOGUE Stimule l'écoulement de la bile à l'intérieur du duodénum.

CHOLÉRÉTIQUE Stimule la production de bile.

CICATRISANT Favorise la formation du tissu cicatriciel.

CORDIAL Tonique du cœur, affinités avec le cœur.

CYTOPHYLACTIQUE Favorise la régénération des cellules.

CYTOTOXIQUE Empoisonne les cellules.

DÉCONGESTIONNANT Soulage les muqueuses nasales.

DÉODORANT Élimine les odeurs corporelles.

DÉPURATIF Purifie le sang.

DÉSINFECTANT Détruit les germes.

DÉTOXIQUANT Neutralise les substances toxiques.

DIGESTIF Facilite la digestion.

DIURÉTIQUE Stimule la sécrétion d'urine.

EMÉTIQUE Provoque des vomissements.

EMMÉNAGOGUE Favorise ou régule le flux menstruel.

ÉMOLLIENT Apaise et adoucit la peau.

ESCHAROTIQUE Soigne les verrues.

EUPHORISANT Génère un sentiment d'euphorie ou de bien-être.

EXPECTORANT Contribue à éliminer les mucosités pulmonaires.

FÉBRIFUGE Fait tomber la fièvre.

FIXATEUR Ralentit l'évaporation des ingrédients les plus volatils d'un parfum.

FONGICIDE Combat les infections fongiques.

GALACTAGOGUE Favorise la montée de lait.

GERMICIDE Détruit les germes et certains micro-organismes comme les bactéries.

HALLUCINOGÈNE Provoque des visions ou des hallucinations.

HÉMOSTATIQUE Favorise la coagulation du sang.

HÉPATIQUE Tonique du foie, affinités avec le foie.

HÉPATOXIQUE Toxique pour le foie.

HYPERTENSEUR Élève la pression sanguine.

HYPNOTIQUE Facilite le sommeil et les états de transe.

HYPOGLYCÉMIANT Abaisse le taux de sucre dans le sang.

HYPOTENSEUR Abaisse la pression sanguine.

IMMUNOSTIMULANT Stimule le système de défenses naturelles de l'organisme.

INSECTICIDE Tue les insectes.

LARVICIDE Prévient ou tue les larves.

LAXATIF Favorise l'évacuation des selles.

LIPOLYTIQUE Détruit les graisses.

MUCOLYTIQUE Fluidifie les mucosités.

NARCOTIQUE Favorise le sommeil. Intoxique à haute dose.

NERVIN Exerce une action spécifique sur le système nerveux.

NEUROTOXIQUE Empoisonne le système nerveux.

PARASITICIDE Éloigne et élimine les parasites.

PARTURIANT Déclenche et facilite l'accouchement.

PÉDICULICIDE Détruit les poux.

PROPHYLACTIQUE Prévient les maladies.

PURGATIF Stimule les évacuations intestinales.

RÉGULATEUR Permet d'équilibrer les fonctions de l'organisme.

RELAXANT Apaise et soulage les raideurs ou la tension.

RÉSOLUTIF Résorbe les furoncles et les gonflements.

ROBORATIF Fortifie l'organisme.

RUBÉFIANT Produit une congestion locale sur la peau.

SÉDATIF Nervin avec un effet calmant.

SIALAGOGUE Stimule la sécrétion de la salive.

SOPORIFIQUE Provoque le sommeil.

SPASMOLYTIQUE Soulage les crampes ou spasmes musculaires.

SPLÉNÉTIQUE Tonifie la rate, affinités avec la rate.

STIMULANT Effet roboratif sur le corps ou l'esprit.

STOMACHIQUE Soulage les troubles gastriques, affinités avec l'estomac.

STYPTIQUE Arrête l'écoulement externe du sang.

SUDORIFIQUE Favorise la transpiration.

TONIQUE Dynamise et tonifie le corps.

UTÉRIN Tonique de l'utérus, affinités avec l'utérus.

VASOCONSTRICTEUR Favorise la contraction des vaisseaux sanguins en application locale.

VASODILATATEUR Favorise la dilatation des vaisseaux sanguins en application locale.

VERMIFUGE Élimine les vers intestinaux.

VULNÉRAIRE Soigne coupures, blessures et plaies.

Glossaire des systèmes organiques

LE SYSTÈME CARDIO-VASCULAIRE

Comprend le cœur, le sang, les veines, les artères et les vaisseaux capillaires. Tout en assurant la circulation sanguine dans l'ensemble du corps, il contrôle le transport de l'oxygène des poumons vers le cœur, les organes et les membres, et ramène ensuite le dioxyde de carbone vers le cœur et les poumons.

LE SYSTÈME DIGESTIF

Comprend la bouche, le pharynx, l'œsophage, l'estomac, le petit et le gros intestin, le rectum et l'anus. Il transforme les aliments, de leur ingestion à leur évacuation du corps.

LE SYSTÈME ENDOCRINIEN

Comprend l'hypothalamus, l'hypophyse, la thyroïde et les glandes parathyroïdes, le pancréas, les glandes surrénales, les ovaires et les testicules. Le système endocrinien équilibre les hormones dans l'organisme.

LE SYSTÈME LIMBIQUE

L'une des premières parties du cerveau humain à s'être développée au cours de l'évolution. Le système limbique contrôle notre mémoire, notre instinct et nos fonctions vitales. Il peut convertir une expérience externe objective en une réponse interne subjective.

LE SYSTÈME LYMPHATIQUE

C'est le moyen de transport du système immunitaire. Les déchets acheminés dans les glandes lymphatiques sont collectés dans les nœuds lymphatiques avant d'être évacués. Le système lymphatique est étroitement lié au système cardio-vasculaire mais la lymphe, à la différence du sang, n'a pas de pompe pour la faire circuler et peut donc facilement devenir paresseuse – surtout chez les gens dont le mode de vie est particulièrement sédentaire.

LE SYSTÈME MUSCULAIRE

Ce système comprend tous les muscles du corps, les tendons et les ligaments qui relient les muscles entre eux et aux os. Il contrôle les mouvements du corps.

LE SYSTÈME NERVEUX

Comprend le cerveau, la moelle épinière et le système nerveux central. C'est lui qui, depuis les terminaisons nerveuses de la peau, envoie vers le cerveau les réponses physiques à la douleur et les différentes sensations.

À DROITE *Les différents systèmes de l'organisme, comme le système respiratoire, réagissent diversement aux huiles essentielles.*

Il comprend aussi le système neurovégétatif, divisé en système nerveux sympathique et système nerveux parasympathique. Le système nerveux sympathique contrôle nos mécanismes de défense et de fuite. Il met le corps en alerte afin qu'il soit en mesure d'affronter le danger. Tous les sens sont sollicités et nos réactions se font beaucoup plus rapides ; le système digestif réduit alors son activité. Lorsque notre organisme est soumis à une longue période de stress, le système sympathique est constamment sollicité, ce qui a pour effet d'épuiser inutilement nos ressources naturelles d'énergie. Le système parasympathique fonctionne dans la direction opposée : il atténue toutes nos réactions au stress et au danger, permettant ainsi au système digestif de fonctionner convenablement.

LE SYSTÈME RESPIRATOIRE

Comprend le nez, le larynx, les sinus, les poumons et le diaphragme. Il régule la quantité d'air qui entre et sort de notre corps.

LE SYSTÈME REPRODUCTEUR

Comprend tous les organes reproducteurs, masculins et féminins.

LE SQUELETTE

La structure osseuse du corps.

LE SYSTÈME URINAIRE

Comprend les reins, les uretères, la vessie et l'urètre. Il contrôle l'élimination de l'eau et des déchets. Les systèmes reproducteur et urinaire forment le système génito-urinaire.

Bibliographie

ABRASSARD (Jean-Louis),
*Aromathérapie essentielle :
huiles essentielles et parfums
pour le corps et l'âme,*
éd. Guy Trédaniel, 1997.

BAUDOUX (Dominique),
Huiles essentielles,
chez l'auteur, 1996.

BOUHOURS (Jack),
L'Aromathérapie,
éd. Grancher, 1990.

BREMNESS (Lesley),
*Les Plantes aromatiques et
médicinales,*
Bordas, 1995.

DAVIS (Patricia),
Aromathérapie essentielle,
éd. Mortagne, 1997.

DOGNA (Michel),
*Huiles essentielles, les
répertoires de Michel Dogna,*
éd. Guy Trédaniel, 1993.

*Encyclopédie des médecines
douces,*
éd. Auzou, 1995.

FABROCINI V.,
*Comment se soigner avec la
médecine alternative,*
éd. De Vecchi, 1997.

FRANCHOMME P. et
PÉNOEL R.,
L'Aromathérapie exactement,
éd. Roger Jollois, 1990.

GIRRE (Loïc),
*Traditions et Vertus des
plantes médicinales : histoire
de la pharmacopée,*
éd. Privat, 1997.

GROSJEAN (Nelly),
*L'Aromathérapie : santé et
bien-être par les huiles
essentielles,*
éd. Albin Michel, 1993.

HOUDRET (Jean-Claude),
Ces parfums qui soignent,
éd. Presses du Châtelet, 1997.

HUARD (Danielle),
*Les Huiles essentielles,
l'Aromathérapie,*
éd. Québecor, 1994.

LAMBOLEY (Denis),
*Les Plantes et les Huiles
essentielles mode d'emploi,*
éd. Marabout, 1998.

MAURY (Marguerite),
*Marguerite Maury's guide to
Aromatherapy,*
éd. C. W. Daniel, 1989.

PADRINI F. et
LUCHERONI M.T.,
*Le Grand Livre
des huiles essentielles,*
éd. De Vecchi, 1996.

PRICE (Shirley),
*L'Aromathérapie au
quotidien,*
éd. Armita, 1994.

ROULIER (Guy),
*Des Huiles essentielles pour
votre santé,*
éd. Dangles, 1990.

RYMAN (Danièle),
Le Manuel d'aromathérapie,
éd. Interpublications, 1989.

STASSMAN (René),
Le Livre des parfums,
éd. Guy Trédaniel, 1991.

TIBBITS (Beryl),
L'Aromathérapie,
éd. Hatier, 1996.

VALNET (Jean),
Aromathérapie,
éd. Le livre de poche, 1984.

WILDWOOD (Christine),
*Massages aux huiles
essentielles,*
éd. Médicis, 1996.

Adresses utiles

Associations et organismes en France

Association de défense et d'information des utilisateurs de médecine douce (ADIMED)
2, rue de l'Isly
75008 Paris

Association de production et de recherche en aromathérapie et phytothérapie (APRAP)
Tél. : 04 93 31 78 30

Société française de phytothérapie et d'aromathérapie
19, boulevard Beauséjour
75016 Paris

Université de Montpellier
Faculté de pharmacie
15, avenue Ch. Flahaut
34060 Montpellier Cedex
Tél. : 04 67 54 80 93
Fax : 04 67 61 16 22

Vous pouvez également consulter sur internet :

http://www.naturmed.com

Ce site recense de nombreuses adresses et informations relatives aux médecines douces et aux thérapies alternatives.

À l'étranger

Association d'aromathérapie du Québec
614 est, Saint-Vallier
Québec (Québec) G1K 3R2

Aromatherapy Organisations Council
3 Latymer Close, Braybrooke
Market Harborough
Leicestershire LE16 8LN

Aromatherapy Trades Council
P.O. Box 38
Romford
Essex RM1 2DN

International Federation of Aromatherapists
Stamford House
2–4 Chiswick High Road
London W4 1TH

International Society of Professional Aromatherapists
41 Leicester Road
Hinkley LE10 1LW

Register of Qualified Aromatherapists
P.O. Box 6941
London N8 9HF

Détaillants

UNADIET
Union nationale des détaillants en produits diététiques
50, rue Pierre-Brunier
69300 Calluire
Tél. : 04 72 07 85 26

De nombreuses pharmacies spécialisées en herboristerie et phytothérapie proposent un large choix d'huiles essentielles. Vous trouverez leurs coordonnées dans les pages jaunes et sur minitel.

Index